W9-AYX-077

Dedicato a una donna speciale

....

Lavinia Biagiotti

Pronto e indossato

Ricette di stile per tutte le occasioni

MONDADORI

Le illustrazioni del volume e della copertina sono di Francesca Galmozzi
La foto sul retro di copertina è di Gianmarco Chieregato

Art Director: Dario Tagliabue
Coordinamento editoriale: Lidia Maurizi
Redazione: Lucia Moretti
Progetto grafico e copertina: Anna Piccarreta
Impaginazione: Chiara Fasoli
Coordinamento tecnico: Rosella Lazzarotto
Controllo qualità: Giancarlo Berti

www.librimondadori.it

Finito di stampare nel mese di marzo 2012
presso Mondadori Printing S.p.A., Verona
Stampato in Italia – Printed in Italy

Sommario

Lettrici carissime, sono certa che vi intrigherà il manuale vagamente fiabesco scritto da mia figlia Lavinia e intitolato *Pronto e indossato*. Un vademecum di istruzioni per l'uso, nella giungla della moda e non solo... Già, la moda: il mestiere della mia famiglia, di nonna Delia, mio e adesso di Lavinia. La moda, una monomania vissuta però con ironia e self control; la moda, un gioco meraviglioso per tutte le possibilità estetiche e comportamentali; la moda, teatro quotidiano dell'apparire e del nascondersi.

Mi diverte e mi commuove osservare mia figlia, passata dalle traduzioni di greco del liceo e dall'ansia del mitico tema in classe, alla sua più recente carriera di redattrice scanzonata su riviste femminili, mentre risponde di notte alle missive di lettrici sconsolate e ansiose a causa del loro guardaroba! Adesso pubblica il suo primo libro dal sottotitolo illuminante: *Ricette di stile per tutte le occasioni*.

Scoprirete con gli occhi e con il cuore questo piccolo viaggio nel microcosmo del nostro armadio, perifrasi arguta della vita di noi donne. Piccole donne, grandi donne, sempre alle prese con l'amletico, quotidiano dilemma: "Che cosa mi metto oggi?".

Con l'augurio sincero di vivere la moda e il proprio abbigliamento come un'opportunità, un divertimento, una body art inconscia, ma non incosciente. Specchio specchio delle mie "trame", restituiscici un sorriso e... un po' di benevolenza!

Laura Biagiotti

1.

Istruzioni per l'uso: come vestire in tutte le occasioni

L'abito è il tuo miglior amico. Ti segue
ovunque, giorno e notte, per tutta la vita.
Ma può diventare un nemico. Impara ad amare
la moda e a trasformarla in una preziosa alleata.
Può davvero cambiarti l'esistenza! La forza
di ciò che indossi è sconfinata, lo sanno bene
tutte le donne che, attraverso il guardaroba,
hanno costruito carriere importanti. La moda
è uno status interiore, fa bene soprattutto a noi
stesse. Fa parte del nostro Dna: come i maschi
tirano automaticamente i calci a un pallone,
prima ancora di imparare a camminare, così
le bambine appena ricevono una bambola la
spogliano e la pettinano. Poi la rivestono. Per
ore! Questo gioco istintivo rimane dentro di noi
per sempre. E allora... diamoci dentro!

⟶ **La top ten per un approccio nuovo con il tuo corpo, il tuo armadio e il tuo modo di essere**

1. Vestiti per te stessa

Non indossare mai niente a caso, soprattutto se sei sola.
Un aspetto curato ti fa sentire meglio. Un bel capo e un accessorio divertente ti danno il buonumore.
E poi, ricordati: se piaci a te stessa piacerai anche agli altri. Mettiti davanti allo specchio e stupisciti!

2. Ispirati alla donna che vorresti essere

Usa la moda per stimolare la tua ambizione. Vuoi un nuovo lavoro? Ispirati a chi ricopre il ruolo che vorresti, al suo stile, al suo modo di porsi. La moda è una questione di atteggiamento: quello giusto ti rende vincente. Questo vale tanto più per l'amore: l'abito ti può aiutare a conquistare l'uomo dei sogni e a stupire quello che hai a fianco.

3. Guardati allo specchio

Lo so, lo fai ogni giorno: ma sei certa di farlo bene? È necessario un approccio scientifico, razionale e molto obiettivo. Prenditi mezz'ora di tempo e studiati, osserva quello che va bene e quello che puoi migliorare, mascherando i punti deboli con i capi giusti e valorizzando i punti di forza che tutte noi abbiamo (anche se la "legge di gravità" ci gioca contro dai 20 anni in su!).

> Gli specchi farebbero bene a riflettere prima di rimandarci la nostra immagine.
> Jean Cocteau

A vent'anni ho inseguito un ragazzo per mesi, provando varie tattiche. Niente. Quando stavo per mollare, ho vinto: l'ho conquistato con un tubino arancione. Tanto tempo dopo ho scoperto che questo è il colore delle relazioni sociali, perché stimola la comunicazione e il rapporto con gli altri (vedi p. 72). Con me ha funzionato!

11

4. Organizza l'armadio

Qui devi essere ancora più severa! L'armadio non è uno sgabuzzino: è una miniera, ricca di tesori da valorizzare e scoprire (leggi il capitolo 3). Non riporre mai capi o accessori sporchi, non stirati ecc. Te ne penti amaramente quando ti accorgi, una volta arrivata in ufficio, di avere una camicia involontariamente maculata...

5. Comincia dal corpo

La lingerie è alla base del tuo look: non trascurarla mai! Ti modella e fa stare meglio i capi che indossi. Ricordati: un reggiseno bianco che spunta da un top nero è orribile!

lo specchio è il primo uomo da conquistare! Amiamolo, e lui ci amerà

6. Indossa i capi con cura

Non ti vestire in fretta. E se sei di corsa, fai comunque attenzione. Calza con decisione i capi che devono aderire al corpo, come facciamo noi nel backstage delle sfilate. Non c'è niente di peggio che vedere i bottoni della camicetta allacciati male, l'orlo di una gonna che pende, il colletto metà su e metà giù...

7. Gioca con gli accessori

Sono il sale del guardaroba. Aggiungono sapore e personalità a ogni look. Modellano (cinture), slanciano (tacchi), mascherano (occhiali) e... molto di più. Le borse non sono contenitori asettici, dicono parecchio di noi. Possono essere in combinazione o in contrasto con l'abito, ma mai e poi mai a caso!

Chi di noi non ha fatto "wowwwww" quando Carrie nel film *Sex&the city 1* apre la cabina armadio della nuova casa che deve acquistare con Mr. Big? Ma siccome quello è un film e la vita è un'altra cosa, anziché ingrandire l'armadio comincia sostituendo gli appendiabiti classici con modelli ultrasottili, come fanno le americane per risparmiare spazio.

Non so chi abbia inventato il tacco,
ma le donne gli devono molto!
Marilyn Monroe

8. Fidati dei migliori amici

Identifica i 10 pezzi che ti stanno a pennello, nei quali ti senti bella e comoda. Ti serviranno come il pane quando sei di corsa, indecisa, con un chilo in più... e molte altre volte.

9. Scopri la moda anti-age

Vinci le barriere dell'età. Questo non significa provocare a tutti i costi, piuttosto "svecchiare" il tuo look, sperimentare, ritrovare il gusto del colore: il nero "snellisce" pancia e fianchi, ma certo non dona al viso.

10. Libera le gambe

Ma perché ci mettiamo (quasi) sempre i pantaloni? Gli abiti e le gonne stanno meglio, soprattutto se siamo un po' sovrappeso. I pantaloni fasciano, segnano dove non dovrebbero. Ognuna di noi è un bruco che può diventare farfalla.

Fashion victim? No, grazie!
Divertimento e disciplina sono le regole della Fashion Therapy: la moda è una medicina sana che fa bene a tutto.

🐱 Lo zapping nell'armadio

La prima volta a 9 anni per andare alla festa dell'amica del cuore. E poi… milioni di volte. Soprattutto se l'invito scatta all'ultimo, se l'occasione è importante o se gli ormoni sono in subbuglio e fanno vedere tutto nero. Figuriamoci se ci sono pure i chili di troppo. La crisi che ti fa svuotare l'armadio più velocemente di un barattolo di Nutella è sempre in agguato. Intendiamoci: provare i vestiti, fare le combinazioni con gli accessori è una cosa bellissima. È come giocare alle **"Barbie vere"**!

Lo zapping "compulsivo" invece è un'altra cosa. È un comportamento quasi irrazionale, recidivo per le donne indecise e, per tutte, una grande perdita di tempo. Nella mia fase post-adolescenziale, finito il liceo, ero peggio del favoloso trasformista Arturo Brachetti che, in un minuto, si cambia più di 20 volte. Poi ho imparato che l'eleganza è soprattutto una questione di organizzazione. Ecco a che cosa servono le ricette di *Pronto e indossato*.

Il tempo è la cosa più preziosa che un uomo (e soprattutto una donna) possa spendere.
Teofrasto

➔ **Importantissimo! Le 5 domande che ti devi sempre porre prima di prepararti**

⊛ 1. Come mi sento?

L'umore determina la prima fondamentale selezione. Puoi assecondare le tue sensazioni vestendoti di conseguenza, oppure optare per una scelta in contrasto con lo stato d'animo, per stimolarti e dare una svolta alla giornata.

⊛ 2. Dove sto andando?

Analizza il luogo e la tipologia di evento per regolare il tuo abbigliamento. Non ti arrendere alle equazioni banali tipo ufficio = tailleur, ma certo una scollatura vertiginosa a un battesimo non è indicata.

⊛ 3. Che clima c'è fuori? Dentro che temperatura troverò?

Un bel tailleur di lana a un colloquio di lavoro, con tanto di lupetto, garantisce la perdita di almeno 3 chili... ma non per questo ti farà sentire più a tuo agio. Anzi! Io spalanco sempre le finestre prima di vestirmi per evitare saune e congelamenti: regolarsi con il clima è un buon metodo per sentirsi a posto.

⊛ 4. Chi ci sarà?

L'amica del cuore con cui divorare una pizza e un barattolo di gelato sul divano: ok, mi metto quello che voglio. Con tutto il resto del mondo... bisogna darsi da fare.

⊛ 5. Che impressione voglio dare?

L'abito fa il monaco. Push-up, top di pizzo trasparente e pantaloni di pelle borchiati per incontrare i futuri suoceri potrebbero dare un'idea un tantino aggressiva di te!

Come sostiene Sonia Veleno, che si occupa di moltissime star, una celebrity che deve andare a un evento, a un appuntamento ecc. non si "veste": si prepara. Prepararsi (un rito già in voga nell'antichità) significa vivere un momento tutto per te, costruendo prima con l'immaginazione e poi con pochi gesti la donna che vuoi diventare nelle diverse occasioni.

# La ricetta base

Moda e cucina vanno a braccetto: devi "prepararti", proprio come si fa per un **piatto succulento.** Ecco i passi giusti.

La sera prima: prepara i capi (e le scarpe) per il giorno successivo, anche quelli dei bambini. È un'operazione rilassante che induce il sonno meglio di una camomilla. Risparmi tempo ed eviti errori.

Primo passo: scegli una serie di musiche o una playlist che ti scandisca il tempo che hai a disposizione (5 minuti, 10 o un quarto d'ora...).

Secondo passo: indossa con estrema attenzione la lingerie. È come mescolare acqua e farina: se non lo fai bene, l'impasto fa i grumi. Scegli mutandine che non segnano, coordinate con il reggiseno (non i primi due pezzi che capitano). Regola le spalline (è fondamentale!) in modo che le tue forme vengano valorizzate. Sopra la lingerie puoi aggiungere un body: modella senza soffocare

ed evita al maledetto rotoletto di sbucare fuori dai jeans. E ripara anche dagli spifferi assassini... Infila le calze con cura, meglio quelle a vita bassa che non soffocano (quante volte hai tagliato l'elastico delle calze?) e contengono la pancetta che abbiamo TUTTE, senza creare ulteriori ciambelle.

Terzo passo: vestiti rigorosamente davanti allo specchio. Sei alla fase forno: controlla la cottura momento per momento, quindi anche la tua preparazione. Gli strati devono essere indossati a puntino, stare bene insieme e non creare un volume eccessivo. Verifica ogni capo che indossi: ti sembrerà di allungare i tempi ma, in realtà, li accorci perché poi sarai in ordine per tutto il giorno.

Quarto passo: gli accessori. Qui è come quando mescoli la pasta con il sugo. Entrambi gli elementi da soli non funzionano, ma insieme stanno benissimo: l'importante è gestire i sapori. Personalizza, trasforma o aggiusta il tuo look con cintura, bijoux o gioielli, e borsa.

Quinto passo: gli occhiali. Come la ciliegina sulla torta o il cacio sui maccheroni, se preferisci. Quelli da sole devono essere sempre con te. Sono un oggetto "paramedico" che protegge lo sguardo e la pelle del viso anche d'inverno. Quelli da vista sono un complemento essenziale e, se hai fatto le ore piccole, l'unico rimedio alle occhiaie. Non vergognarti di indossarli a qualsiasi età, trova quelli che ti rendono interessante e migliorano i tuoi lineamenti. La supercampionessa Federica Pellegrini li infila sempre fuori dalla piscina e diventa tremendamente sexy!

La ricetta base
per le occasioni speciali

Per prepararti bene sono necessari 40 minuti (ehi, non chiudere il libro: se non ti convinci che tu sei importante e che ti devi dedicare del tempo, **sei fritta!**). È una questione di organizzazione: chiudi il mondo fuori dalla tua stanza e prenditi questa parentesi per te.

1. Stendi sul letto tutti gli abiti che hai, anche quelli che di solito non usi. Passali in rassegna, prova quelli che attirano la tua attenzione.
8 minuti

2. Riduci la scelta a due. Opta per quello che riesci ad abbinare bene con gli accessori: il miglior risultato non è l'abito perfetto ma un insieme equilibrato, armonico e gioioso. Controlla che tutto sia in ordine, stirato e senza macchie oppure orli pericolanti.
4 minuti

3. Abbina gli accessori. Di giorno, meglio la tracolla della pochette. Piccola sì, ma non micro per evitare di tenere in mano tutto quello che avanza. Inclusi i fazzoletti di carta: se si tratta di un matrimonio una lacrimuccia ci scappa sempre, almeno a me.

Quindi aggiungi il ritocco del trucco (labbra, cipria e matita occhi), un campioncino di profumo per ravvivare l'aura magica intorno a te, una mini spazzola con la chiusura a scatto, un pacchetto di gomme per allentare l'ansia e avere un sorriso sempre in ordine. Poi basta, altrimenti dalla tracolla passiamo al trolley! Le scarpe devono essere alte, ma non da vertigini, a meno che il tuo accompagnatore non sia Shrek disposto a portarti in braccio mezz'ora dopo averle indossate...
5 minuti

4. Ora passa a te. Fatti un bel bagno o una doccia rigenerante, spalmati con la crema idratante, truccati con cura ma senza appesantirti. Aiutati a dare una forma ai capelli con ferro e piastra (sono veloci e garantiscono un effetto professionale e definito alla chioma, a prescindere da taglio e lunghezza). Se li vedi spenti, spalma un prodotto per renderli brillanti. Ritocca lo smalto, se necessario.
15 minuti

Legenda
tempo per essere pronta

5. Lingerie. Mai senza reggiseno! Ok al body e ai modelli che contengono e ridisegnano la silhouette. Purché non ti lascino senza fiato e ti permettano di mangiare almeno tre grissini, altrimenti lo svenimento è garantito. Le calze vanno messe sempre, definiscono la forma della gamba, cancellano la buccia d'arancia (ce l'ha pure Kate Moss...) e danno un tocco di classe. Sei esonerata solo dal 15 luglio al 30 agosto: per il resto dell'anno rassegnati! Prova con i modelli in microrete color carne, come fanno le ballerine.
🕐 *3 minuti*

6. Specchio delle mie brame! Lo specchio è il primo che ti vede e il più sincero. Sii severa con te stessa, non critica. Controlla ciò che indossi, per esempio che l'intimo non sbuchi fuori, che le trasparenze siano ben calibrate, che la vita sia sottolineata al punto giusto.
🕐 *3 minuti*

7. Dettagli che contano. Scegli un gioiello prezioso che abbia un significato particolare per te e si intoni all'insieme, oppure dei bijoux che servano a dare un tocco di personalità. Non avere paura di osare, soprattutto se l'abito è piuttosto semplice. Qualcosa che luccica o tintinna ti farà sentire più allegra e luminosa, in sintonia con la cerimonia alla quale stai andando (abbiamo detto di tintinnare, non di scampanare come una mucca della Val di Fassa!).
🕐 *2 minuti*

Come dice mia madre Laura, il profumo è l'abito dell'anima: vesti sempre le tue emozioni con essenze che parlino di te.

Ancora pochi secondi per... spruzzare il profumo (per sapere se lo sai fare bene vai a p. 157), guardarti allo specchio e fare un **bel sorriso** (anche se il bambino ha vomitato, tuo marito ti ha fatto innervosire, **il gatto** ti ha smagliato le calze e, come nel **gioco dell'Oca**, dal punto 7 devi tornare al punto di partenza). Ora sei pronta!

La ricetta Diabolik

Più che una divisa, il "tutto nero" dalla testa ai piedi è un fenomeno sociale. Di solito l'adesione alla "setta" scatta dopo i 30 anni. Plotoni di femmine di cui si vede solo l'incarnato di viso e mani (se sono abbronzate neanche quello), più i denti. Spessissimo anch'io ne faccio parte, ma ho elaborato una variante che introduce il colore. Con la ricetta Diabolik ho dimezzato i tempi per essere pronta, raddoppiando la mia sicurezza e la funzionalità di uno stile che si fonde con il corpo adattandosi a molteplici occasioni d'uso. Va bene dall'ufficio alla cena, è una soluzione comoda per viaggiare e sufficientemente intrigante per farti sentire attraente. La formula è semplice e si ispira proprio al fumetto: base nera aderente, combinata con maglie, abiti, giacche o accessori rigorosamente colorati.

BASE. "Inguaina" il corpo in un insieme nero stretto, ma non soffocante, che modelli la tua silhouette. Dev'essere proprio come la tuta di Diabolik: una seconda pelle. Calze pesanti, leggings o pantaloni a sigaretta, con body o maglietta che si accosta al corpo. Stivali o stivaletti neri che allungano la figura.

COMPLETAMENTO. Maglie con scollo a V. Mini abiti. Giacche vivaci, lunghe fino ai glutei per slanciare. Cardigan con bottoni o zip. Tutto assolutamente non nero: va bene un tono scuro come il grigio, neutro tipo il beige, ed è bellissimo l'effetto optical con il bianco. Perfetto l'abbinamento con colori e fantasie, dalle stampe maculate ai fiori.

PERSONALIZZAZIONE. È davvero fondamentale. Divertiti come fa Eva Kant, la mitica compagna di Diabolik con i suoi camuffamenti. Usa catene, orecchini, bracciali, anelli e spille per trasmettere il tuo stato d'animo o per caricarti di energia. Non trascurare mai i dettagli. Cintura, borsa, sciarpa, occhiali: sono loro che rendono il tuo "tutto nero" vincente.

prova anche la variante con base marrone, grigia o blu

Ricette per l'ufficio

IL TUBINO. È il classico per eccellenza, come il risotto in una cena formale. O le lasagne la domenica. Deve starci a puntino, non ci accontentiamo del primo che troviamo. Ce ne vogliono 3, non tutti neri. Scopri il gusto del colore anche mentre lavori! Ne serve uno pesante, di lana, per l'inverno. Perfetto se ha il collo alto e la manica corta o tre quarti, da mettere con la giacca, il cardigan o lo scaldaspalle. Uno "medio", da primavera e autunno, in jersey. Infine uno leggero, in pizzo, cotone o viscosa per l'estate.
3 minuti

IL PANTALONE NERO. Quello perfetto è come il G.A. (Grande Amore): difficilissimo da trovare, ma se lo incontri ti cambia la vita. È la base e va bene più o meno con tutto. Ecco qualche idea. Da modaiola, stretto a sigaretta sotto una blusa o un miniabito. Rigoroso con la giacca. Romantico con una camicia a balze. Bon ton con il twin set di maglia. Da "cattiva ragazza", con la giacca di pelle. Ma sempre e comunque chic!
da 3 a 7 minuti a seconda degli abbinamenti

IL TAILLEUR. Che noia! Ma resta il capo più inossidabile, quello che ti farà sentire a tuo agio in decine di situazioni. Non ti arrendere alla banalità. Vivacizzalo spezzando la giacca e il pantalone, mescolando le fantasie, indossando una t-shirt al posto della camicia. Il blazer va benissimo anche sui jeans (vedi il punto successivo), la gonna con un lupetto o una maglietta di jersey. Così potrai creare almeno 4 look con un solo acquisto, mixato con le cose che hai. Se proprio vuoi mettere il classico tailleur, sbizzarrisciti con bijoux e tacchi alti. Essere formale non equivale a essere banale.
🕐 *4 minuti*

I JEANS. Ormai sono sdoganati per tutte le occasioni. Da evitare quelli con strappi & Co., a meno che tu non faccia un lavoro ipercreativo (e anche in questo caso poniti dei limiti). Bene con il blazer, con la camicia sagomata, con il pullover, con il miniabito. Mai con le sneakers da palestra in ufficio; molto chic con scarpe maschili stringate.
🕐 *3 minuti*

LE FANTASIE. Evviva le stampe, sia d'estate sia d'inverno. Lavorare non vuole dire arrendersi al nero o al blu. Ritrovare la femminilità e potenziare la fiducia in noi stesse significa anche dare un segnale positivo con ciò che indossiamo. Come non strafare? Usa un pezzo solo con la stampa o il motivo decorativo, abbinato a un look sobrio, meglio se monocolore. Scegli tra disegni floreali, fantasie geometriche, maculato, scozzeze, pied-de-poule, ecc. per un pezzo (giacca, gonna o pantaloni) da mescolare a toni neutri.
🕐 *5 minuti*

☹ microgonne, capi effetto lingerie con trasparenze forzate: andiamo a lavorare, non a un pigiama-party!

☺ sì a bijoux oppure foulard colorati: andiamo a lavorare, non a un funerale!

La mitica giornalista di moda Diana Vreeland, amica di mia madre, che da piccola ho avuto la fortuna di conoscere, diceva: "Dopo le gondole, i blue jeans sono la cosa più bella che ci sia!".

Sai tutto del tailleur?

La parola deriva dal francese e indica il sarto, colui che taglia il tessuto e confeziona il completo. Originariamente era il sarto da uomo, data la natura maschile del capo. Si fa risalire al 1885 e, in particolare, al sarto inglese John Redfern la realizzazione del primo tailleur da donna, cucito per la principessa di Galles. Fu Coco Chanel a rivisitare il capo negli anni Venti e a renderlo femminile, morbido e sciolto. Da allora, tutte le maison si sono misurate e tuttora si misurano con questo protagonista dell'abbigliamento. L'icona indiscussa è Giorgio Armani che, dalla seconda metà degli anni Settanta, ne ha fatto la cifra stilistica del suo marchio. Innumerevoli le apparizioni sul grande schermo e l'abbinamento a grandi dive del cinema come Greta Garbo e Marlene Dietrich, famose anche per i modelli da loro indossati.

Ricette per la laurea o per un colloquio di lavoro

Ci passiamo tutte. L'abito in questo caso non "svolta" ma è un valido sostegno in un momento in cui veniamo messe alla prova: **un look azzeccato aiuta a tenere i nervi sotto controllo**, come succede con 10 gocce di calmante. La globalizzazione ha portato una ventata di freschezza anche in queste occasioni, che fino agli inizi del Duemila imponevano vestiti a metà tra l'uniforme da collegio e la divisa da zitella. Ma sono pur sempre incontri formali nei quali l'abito, più che mai, fa il monaco. In questo caso lavoriamo sul tipo di messaggio che vogliamo dare e, quindi, studiamo ciò che intendiamo indossare. Non si deve trascurare il minimo dettaglio: ogni titubanza diventa un punto di debolezza. Va bene sottolineare la tua personalità con un intervento deciso, ma senza esagerare: se hai qualche dubbio, **meglio eliminare che aggiungere.**

Sicura di me. Qui vince il tubino nero in un accostamento non banale. Completa con una giacca bianca, rossa o di un colore deciso. Graffia con un tacco 8-10: la scarpa deve essere di qualità, per dare l'idea di ricercatezza e solidità. Un gioiello sottolinea la tua femminilità: orecchini a pendente o un ciondolo. Niente perle: fanno troppo "signora". La borsa, di misura media, può essere in pelle stampata coccodrillo. Va bene una pashmina nel tono della giacca da lasciare sciolta lungo il corpo; oppure un foulard. Trucco femminile, capelli sciolti.
⏱ *12 minuti*

Affidabile e rigorosa. Già ti vedo arrivare davanti al plotone di esecuzione (sia esso la commissione o l'intervistatore) in un tailleur impeccabile, con i capelli legati o cortissimi, senza un centimetro fuori posto. Parli poco, ma dici molto di te con il tuo atteggiamento. Indossi una camicia maschile e ai piedi ballerine o francesine stringate. Colori scuri spezzati con il bianco, un po' alla Karl Lagerfeld, che ha fatto del minimalismo una forma di stile estremo. Un punto luce ai lobi, un girocollo che ti ricordi un momento positivo per darti sicurezza. Oggetto must: l'orologio. Borsa classica e capiente, già pronta ad accogliere i primi fascicoli (o a contenere la tesi siglata con una bella lode!).
⏱ *5 minuti*

capelli e mani devono essere ben curati

Rassicurante e sgobbona. Punta sulla maglia: flessibilità e morbidezza sono i tuoi punti di forza. Jeans scuri, maglioncino di cashmere (blusa o camicia con piccole ruches d'estate) e blazer fanno al caso tuo. Così come un abito a trapezio, indossato con calze scure pesanti e stivali piatti. Il tuo asso nella manica è una personalità accogliente ed estroversa, che trasmetti subito anche attraverso il tuo abbigliamento. Distinguiti con un gioiello a forma di cuore, tacchi solidi (tronchetti o zeppe) e una tracolla con il monogramma. Un rossetto rosso ti farà sentire glamour senza eccessi.
⏱ *10 minuti*

Apprendista fashionista. Sei il tipo di donna che non ha bisogno di consigli (strano che tu stia leggendo questa "ricetta"!). Magari sei una che vuole dare un'immagine alla moda di sé, perché ti laurei in una disciplina artistica o fai un colloquio in un'azienda che si occupa di creatività. Eccoti servita. Presentati con un capo formale rivisitato con il must del momento: una camicia nella stampa di stagione, una cintura all'ultima foggia, i tronchetti con il plateau, i leggings colorati sotto il vestito. Compra un paio di riviste e scegli il dettaglio che vedi ricorrere di più e che meglio si addice al tuo "io". Mixalo con un classico e voilà: una nuova fashion leader è pronta a colpire!

🕐 *15 minuti*

100% artista. Se il tuo guardaroba è un fiorire di stravaganze e di vintage, e pensi che il tailleur sia un piatto della cucina francese... bene: gioca con la tua estrosità per creare un insieme originale, ma non folle. Troverai qualche capo basic da mescolare ai decori floreali, ai capi etnici o dark che popolano i tuoi appendiabiti. Non esagerare con gli strati: 3 pezzi, calibrati nei colori e nello stile. Un bel blazer non guasta, puoi indossarlo in modo insolito su un abito di foggia hippy.

☹
scarpe nuove che fanno male e ti mettono di cattivo umore; abiti troppo stretti che ti tolgono il fiato

> Ricordati che non avrai mai una seconda possibilità di fare una prima buona impressione!
> (Anonimo)

Ricette per il weekend

Ok, vogliamo **sentirci libere.** Anche dall'obbligo di "vestirci bene". Ma questo non significa trascorrere 48 ore abbrutite con la tuta, diventare daltoniche tutto d'un colpo accoppiando colori che fanno a pugni, oppure metterci capi troppo larghi o troppo stretti solo perché ci sembrano più pratici per il fine settimana. Lo stile vero emerge nella semplicità e nel look disinvolto molto più che in quello adottato per un'occasione speciale.

P.S. Nel fine settimana niente orologio, il tempo è tuo!

I JEANS. Sono come il panino al prosciutto quando sei all'autogrill, ovvero la scelta sicura. Che non vuol dire banale. Trova il TUO modello. Ce ne sono un'infinità, non ti accontentare mai. Quelli skinny (in inglese skin significa pelle, quindi sono stretti a sigaretta) vanno bene con t-shirt o miniabito, insomma con tutti i volumi maxi. Indossali con le All Star, gli stivaletti o gli anfibi tipo moto, e giacca di pelle magari colorata o, comunque, con un giubbotto. Il modello a zampa invece va abbinato con capi sagomati, che slanciano la figura, oppure con una felpa, purché sia sciancrata.

I FUSEAUX. Sono il "pane e burro" dell'armadio: stanno bene con tutto. Mixano la pulizia di linee del pantalone classico con la comodità della tuta. Insomma, quello che ci vuole! Stanno bene con la t-shirt maxi, il miniabito, la camicia, il cardigan, il pullover con lo scollo a V... La soluzione migliore è base scura per i fuseaux e colore sopra. Ai piedi stivali, ballerine, scarpe da tennis, sandali, tutto quello che ti piace di più.

IL VESTITINO. Quando fa caldo è preferibile a jeans e a fuseaux. Stampato a fiori, millerighe o tinta unita, libera la silhouette dalla costrizione degli strati che sovrapponiamo durante il resto dell'anno. Puntiamo sul lino: anche se si stropiccia subito, è sempre chic. Nella stagione fredda sì a vestiti di maglia con gli stivali, e ad abiti di jersey messi anche sui pantaloni.

LA (MEZZA) TUTA. Premessa: c'è tuta e tuta. Devi farti coraggio, orientandoti tra le mille proposte che trovi. Meglio nera, blu oppure grigia o, comunque, in un tono scuro e deciso. Se di colore pastello, o bianca, fa subito pigiama: da evitare assolutamente! Ok a modelli dritti (la zampa d'elefante felpata non sta bene neanche a Naomi!), senza troppi fronzoli, tasche ecc. Per non perdere il filo dello stile, indossane solo mezza. Metti il pantalone della tuta con t-shirt e golf con lo scollo a V, e poi il giubbotto. Il giacchino della tuta va benissimo con i jeans, i pantaloni cargo o militari. La variazione della tuta è la felpa con il cappuccio, non

---

Fuseaux o leggings?

Entrambi sono strettamente legati alla storia della calza. Ma qual è la differenza? Io ho usato i due termini in maniera quasi sovrapponibile, anche se per leggings si intende un capo più simile al collant, molto fasciante, che può terminare al polpaccio o alla caviglia. Di solito si porta sotto un miniabito, con la gonna corta di jeans o la maxi maglietta. Insomma, è quasi uno strato! I fuseaux, tormentone degli anni Ottanta, ormai sono un classico del guardaroba: fasciano, modellano e sono comodissimi.

quella oversize anni Ottanta, ma quella che ti sta a puntino, che può essere anche di lana o cashmere, da portare con jeans e stivali. È la divisa con cui, la domenica mattina, vanno in giro le star di Hollywood.

GLI STIVALI DI GOMMA. La regina Elisabetta (un'icona di stile e una mia grande passione!) indossa quelli classici verdi quando è in campagna. La top model Kate Moss ne ha sfoggiati un paio neri con un miniabito dorato di lamé. Impagabili con la pioggia e per la gita fuori porta, sono entrati prepotentemente nel nostro guardaroba. Io ne ho un paio di colore celeste, che metto con jeans o leggings. Gli originali sono gli Hunter Wellington: calzano grandi, prendi perciò un numero in meno.

tacchi a spillo: poveri talloni, hanno diritto anche loro a 48 ore di pausa!

tutto ciò che è morbido, la maglia, il tricot: indossa il poncho o la mantella invece del piumino

31

Ricette per Fido

Se, come me, hai la fortuna di avere dei quattrozampe, sarai "allegramente" costretta a uscire almeno tre volte al giorno, e a dedicare loro buona parte del tuo weekend. Ma bisogna avere stile anche per portare i cani a correre nei prati. Se sei single, sai bene che un cucciolo "acchiappa" meglio del wonderbra! Ispirati ai look delle pagine precedenti per trovare quello adatto, e porta sempre con te le salviette umidificate per porre rimedio a eventuali incidenti di percorso sui tuoi capi. Quando vai a casa di amici che hanno dei cani hai due scelte obbligate: devi vestirti color bava (quindi beige) o color terra (marrone). Infine le BAU-ricette: dai un tocco di classe al tuo fedele amico con un collare che abbia il suo nome applicato con lettere di metallo o di strass. Scegli un guinzaglio buffo per i pomeriggi in cui fate shopping insieme, ma non andare oltre: tutti i cani, anche quelli "bonsai", hanno una loro dignità e non amano essere agghindati come un albero di Natale.

🐱 Ricette per la campagna

Ci sono due tipi distinti di donne: quelle nate in campagna e tutte le altre. Io rientro nella prima categoria, quindi nessuno choc con animali, macchie d'erba e di fango (per sistemarle vai a p. 64). Invece la mia amica Isa è totalmente inadatta a ciò che è verde o a **forma di insetto**. Avete presente Carrie quando va a passare un weekend a casa di Aidan in campagna con décolleté bianche e gonna svasata a righe e si terrorizza per un piccolo scoiattolo?*

Ed eccoci al punto: tu, donna assolutamente cittadina **amante del caos** e della strada, allergica a qualsiasi ambiente open air, devi accettare un invito in campagna. Giustamente non pensi a un look *ad hoc*. E invece è proprio qui che sbagli: per te ci sono tantissimi pericoli in agguato...

Lascia a casa i tacchi e le ballerine. Porta stivali piatti, antiscivolo, possibilmente impermeabili, evita quelli scamosciati, che si macchiano facilmente, e i colori chiari.

No alle pashmine: possono impigliarsi nei rami e rovinarsi per sempre...

Punta su jeans attillati, indossati con t-shirt e camicia a quadri, ma non dimenticare la cintura. Puoi azzardare anche un vestitino semplice, magari di lana per l'inverno, così da essere calda e femminile per le serate nei ristoranti tipici; potresti anche abbinarlo con delle calze pesanti, magari in cashmere, molto intriganti.

Per un look romantico, prendi un fiore e infilalo tra i capelli: è un gesto decisamente bucolico.

Questa è la svolta del weekend: ruba un cardigan al tuo lui, è perfetto sui leggings o sui jeans.

* L'episodio, il nono della quarta stagione di *Sex and the City*, s'intitola "Sex and the Country": puoi vederlo su YouTube.

🐱 Ricette per il mare

Premessa: più che un luogo il mare è uno stato d'animo. Consiglio per l'estate: spogliati! Anche se dieta e palestra non hanno fatto miracoli, noi donne abbiamo il vantaggio enorme di poterci alleggerire mentre "loro" sudano in giacca e cravatta... Ecco 5 compagni ideali per le vacanze.

CAFTANO. È la "svolta" delle valigie leggere. Corto o lungo, va bene per tutto. Sopra il bikini, per la cena al porto e andare a curiosare nei negozietti. Bello se è etnico originale, comprato in qualche negozio puzzolente, come dicono i maschi, ma pieno di "sapore autentico". Infradito di giorno e zeppe la sera.

CAMICIA. Perfetta se la rubi a lui, così la usi sia come copricostume sia come mini abito, fermata in vita da una cintura. Mettila con gli shorts oppure con i leggings per andare in giro o per viaggiare.

BIKINI. Qui gli ingredienti fondamentali sono la lycra e il tuo atteggiamento. Ci sono donne decisamente imperfette che sculettano sulla battigia come se fossero Ursula Andress in *007 Licenza di uccidere*. Quindi la prima cosa da fare è trovare un modello che ti dia sicurezza. Le fantasie eccentriche sono per le giovanissime, i grandi classici bianco, nero, blu e marrone sono l'ideale per tutte. A proposito, sai perché il bikini si chiama così?

Il suo nome deriva da quello di un atollo nel Pacifico dove nel 1946, anno in cui è stato lanciato, gli Stati Uniti stavano effettuando alcuni esperimenti nucleari...

COSTUME INTERO. Perfetto sempre. I modelli più recenti hanno più dotazioni di un robottino da cucina. Modellano, slanciano, si asciugano in fretta, proteggono dai raggi, attenuano i segni, hanno accessori tipo la cintura, si combinano con il pareo per diventare un abbigliamento da aperitivo, e molto altro. Belli quelli monospalla, da evitare quelli troppo complicati con stringhe e oblò che fanno effetto salsiccia al 99% delle femmine del pianeta.

SANDALI. I tuoi piedi ti ringrazieranno. Dopo aver sofferto mesi e mesi sul tacco 12, essere stati strizzati in stivali strettissimi, aver bollito dentro le scarpe da ginnastica, finalmente arrivano le loro vacanze! Da quelli griffati, da sogno, alle espadrillas di corda fino ai modelli infradito, come le piattissime e indispensabili Havaianas.

→ L'estate in città: tre stili a confronto

⚪ **1.** Safari metropolitano

Dai libero sfogo alla Jane che c'è
in te con la giacca sahariana,
i pantaloni coloniali, la camicia
con le tasche, le magliette di cotone
con i bottoncini. E sbizzarrisciti
con stampe mimetiche e maculate,
addolcite con il beige.

⚪ **2.** Marina cittadina

Il bianco e blu, rivisitati con tocchi
di rosso, o con dettagli oro o argento,
sono il grande classico dell'estate.
Non passano MAI di moda. Aggiungi
sempre la tua personalizzazione:
mischia le righe con i fiori, indossa
un blazer in stile marina sull'abito
scivolato tipo lingerie.

⚪ **3.** Pop urbano

I colori fortissimi sono la colonna
sonora dei mesi caldi. Quando il
solleone brucia divertiti a riflettere
i suoi raggi con canotte fucsia,
giacche giallo limone, vestitini
corallo, camicie color menta.
Non ti frenare, anche per andare
a lavorare. Magari, sei hai una
riunione con "i boss", smorza
l'effetto con una gonna basica
blu o con un paio di jeans, ma
caricati sempre di tutta l'energia
possibile.

La prova costume

Non rimandare la "prova costume"
a giugno! Tieni un bikini nell'armadio tutto l'anno e ogni tanto indossa-
lo per stimolarti a rimanere in forma.
Ad aprile dacci dentro: bevi tantissi-
ma acqua (con poco sforzo ottieni
grandi risultati), fai 100 addominali
tutte le mattine (bastano e avanzano,
la costanza paga!) e usa sempre e solo le scale per risvegliare i muscoli
assonnati del tuo lato B. Prova "i 5
tibetani", sono un rituale di benessere psicofisico fantastico a tutte le età,
capaci di tonificare tutto il corpo con
uno sforzo minimo (parola di pigra!):
cercali su internet...

Ricette per cuocerlo a puntino!

Qui i fornelli non contano: sei tu il **piatto forte** e devi diventare una B.S. (Bomba Sexy o Bambolina Seducente, mai una Brutta Strega!) almeno per un giorno. Lascia perdere le storie del cibo afrodisiaco, conta molto di più il macramé* del soufflé: non si brucia e fa ardere la passione. Sono tante le icone alle quali ispirarti per far esplodere la tua sensualità! Per alcune dee, tipo **Marilyn Monroe**, Brigitte Bardot, Sophia Loren e Jayne Mansfield, è una questione di Dna. Ma per tutte le altre ci si può lavorare su. Con risultati sorprendenti. Leggi la lista qui sotto...

Allenati a sedurre. Se arrivi a casa stravolta, con i capelli dritti dopo esserti arrabbiata tutto il giorno, intabarrata in un tailleur severo con scarpe ortopediche e gambaletti, neanche la fata turchina è capace di rimetterti in sesto. La seduzione è un gioco sottile e intellettuale, che non deve essere mai volgare. Abituati a indossare cose che ti valorizzino già dal mattino, quando ti prepari. No a taglie extralarge: uno dei segreti della B.S. è che il suo golfino di cashmere è striminzito nei punti giusti...

Tutto comincia con il pizzo. Reggiseno e reggicalze sono le tue munizioni. Non serve un completino a 18 carati, né per carità corazze che modellano (adoro Bridget Jones ma non credo che nella vita reale due super belli come Colin Firth e Hugh Grant farebbero davvero a botte per un paio di mutandoni...). Punta sul rosa, pallido o shocking, e il color champagne. Il nero è sempre efficace, come il rosso e le stampe maculate. Piccoli pezzi che intrigano!

L'atmosfera è servita. Attenzione, non la lasagna. Parcheggia i bambini dai nonni, ordina una cena pronta fatta di cose leggere (un cartone di pizza ai peperoni ammazza tutto!) e annaffia con bollicine. Non devi accendere un mutuo per sedurre, aragosta e champagne francese non sono necessari. Abbassa le luci, metti una musica invitante e sentiti come Kim Basinger: non credo sia una brava cuoca ma piace molto lo stesso ;-)...

Trucchi della B.S.: non avere mai freddo. Niente cappelli, sciarponi e piumini. Un bel cappottino sciancrato e guanti, sia lunghi sia corti. Sandali anche d'inverno e molto, molto rosa. Borse piccole e un foulard di seta da annodare con nonchalance.

Bambolina-digiuno o streghina-minestrone. Questa l'ho sentita dall'autorevole giornalista Natalia Aspesi. Il tempo a disposizione delle donne è poco: bisogna scegliere tra le verdure da tritare e l'aspetto da curare. Puoi decidere di essere l'una o l'altra, e sedurre il tuo lui a sorpresa. La bambolina si prenderà del tempo per sé e non si preoccuperà della cena. La streghina avrà trascorso il tempo tra ortaggi e frullatore.

:(niente mani in disordine: metti lo smalto sulle unghie e crema dal profumo dolce

:) un bel bagno è l'elisir di lunga vita della Bomba Sexy!

Cura il tuo aspetto: chi l'ha detto che l'amore è cieco?
Mae West

✳ Che cos'è il macramé

È un pizzo molto pesante ed elaborato di origine araba. Formato da lavorazioni tri-dimensionali con intrecci e nodi, si utilizza per applicazioni sulla lingerie o su abiti eleganti. Bello e molto scenografico per il giorno del sì!

Ricette per il cocktail o per l'aperitivo in città

Il mio trucco è vestirmi già al 50% dalla mattina. Come per Cenerentola **l'incantesimo** si materializza alle 18, quando le ballerine vengono sostituite dai tacchi a spillo e la camicia "basica" si trasforma in un top fashion: aggiungendo una pochette e un cappottino il gioco è fatto!

TUBINO. Ok, ti sfido a trovare qualcosa di più straordinariamente perfetto di Audrey Hepburn in *Colazione da Tiffany*! Il tubino è la 24 ore delle donne (un paio di volte in cui ho perso la valigia ci ho pure dormito!). Personalizzalo con una pochette che luccica, una giacca lavorata o ricamata, e naturalmente tacchi e bijoux. Per le sere d'estate il tubino bianco è fantastico perché esalta l'abbronzatura, stai però attenta al finger food che può essere letale: se ti si rovescia addosso una ciotolina piena di salsa la serata è decisamente compromessa (per le macchie vedi pp. 63 e seguenti). Bellissimo in tutti i colori forti, anche d'inverno: dal giallo al fucsia...
5 minuti

CAPPOTTINO 10 E LODE. Sotto puoi avere qualsiasi cosa, ma sopra lui ti renderà elegantissima e unica. Perché è quello che vogliamo, giusto? Non dobbiamo diventare l'attrazione della serata, a meno che non si tratti del nostro compleanno, ma neanche essere una banale comparsa che sparisce nella mischia. Le varianti sono trench, spolverino o redingote. L'importante è che si tratti di un evento in piedi, perché sederti e cenare con trench o cappotto è un tantino scomodo, oltre che caldissimo...
2 minuti

GONNA + CAMICIA. Quella che gli inglesi chiamano pencil skirt (ricorda una matita ed è dritta a tubo) è un'ottima soluzione per questo genere di occasione. Da mettere con calze pesanti, pump (décolleté con plateau), camicia un po' vittoriana con le ruches, bianca o stampata. Niente giacca, sì a una collana a catena o maxiperle.
🌐 *7 minuti*

PARTY DRESS CORTO. Sta al cocktail come l'oliva al Martini: è il massimo! Ma va bene solo se riesci a cambiarti: uscire di casa alle 7 di mattina in bustier scintillante fa un po' troppo *Cabaret*... Ok a broccati, laminati, intarsi di paillettes o ricami. Va "spento" con una giacchina, anche di pelle, o con un bolero. Perfetto con gli stivali. Un'ottima soluzione è anche l'abitino vintage comprato secoli fa e che non hai mai messo...
🌐 *5 minuti*

TOP + PANTALONI. Facile ed efficace. Pantaloni neri, anche denim. Grigio o marrone fanno triste e non vanno bene. La linea dev'essere stretta, da abbinare con un top meglio se asimmetrico, in un tessuto lucido. Divertiti con collana od orecchini grandi (l'una o gli altri, mai insieme!), o bijoux un po' di design con forme geometriche.
🌐 *6 minuti*

La redingote

Indica un capo a metà tra soprabito e mantello aderente in vita, che segna il busto. La sua storia ha avuto una complicata evoluzione tra Inghilterra, Francia e Italia, facendo zapping nel guardaroba di lui e di lei. Nasce con il termine inglese "riding coat" nel 1700, come capo maschile per cavalcare. In Italia, a metà del XIX secolo il "redingotto", che è un mantello, diventa giacca per gli uomini, e per le donne è un abito sagomato. Oggi rimane il termine francese che cristallizza la versione di fine Ottocento, evolutasi in una giacca simile all'odierno frac per gli uomini, mentre per le donne può indicare sia una mantella, stretta in vita da una cintura, che si allarga a campana sul fondo, sia un cappottino aderente e abbottonato, stretto in vita e morbido all'orlo. La redingote è un'ottima idea per le spose d'inverno.

☺ *punta su accessori icona e pezzi vintage*

☹ *niente magliette cartoon, anche se hanno gli strass*

Ricette per una cena elegante

Sii preparata! Tieni sempre in ordine un ipotetico candidato per una serata elegante, assicurandoti che ti stia bene, sia fresco di lavaggio e di stiratura. A volte questi inviti arrivano all'ultimo e scatenano un attacco di iperventilazione. Pensa a **Pretty Woman** che, pur essendo a Beverly Hills, non riusciva a comprare un abito adatto per andare a cena con Richard Gere e i suoi potenziali partner di lavoro (segue la scena geniale della lumaca che vola sul cameriere). Ecco, lo spirito di questa serata è proprio quello del film: colpire ma non stendere. Julia/Vivian alla fine, grazie al direttore dell'albergo, si mette un abito lungo di pizzo nero con le spalle scoperte, ed è **da urlo!**

L'ABITO BASICO CON LA GIACCA PREZIOSA. È l'opzione più veloce che ti consente di non sbagliare. Sotto il tuo amico tubino, con calze e scarpe rigorosamente nere, sopra una giacca davvero super, ricamata, preferibilmente oro o argento. Se non lo è... passa all'abito rosso.
🐱 *5 minuti*

RUCHES. Sono arricciature che fungono da dettaglio romantico su abiti, top, bluse e camicie. Arricchiscono un collo, alleggeriscono una forma, rendono vagamente teatrale o rétro un capo. Ricorda che è meglio una bella onda decisa di un bordino misero. Ci vuole personalità: le ruches vanno portate a testa alta, altrimenti ingoffano un po'.
🐱 *12 minuti*

L'ABITO ROSSO. È una scelta decisa e vincente (guarda il significato del colore rosso a p. 71). Dice molto di te e della tua sicurezza. Attira gli sguardi, trasmette calore e passione (non necessariamente amorosa, ma anche attaccamento al proprio lavoro). Va bilanciato con accessori sobri: bene con il nero, da evitare con l'oro e l'argento.
🐱 *10 minuti*

IL TUO PEZZO FORTE. Solo tu lo conosci. È quell'abito speciale che hai comprato per il matrimonio di tua sorella o per un altro evento particolare: hai speso un piccolo capitale e devi farlo fruttare. Un abito griffato, o comunque importante, ha il grande vantaggio di durare una vita, e di farti fare sempre "una bella figura". Non pensare che se è di tre anni fa sei fuori moda: un vestito di qualità non perde il suo valore, anzi lo accresce con il tempo.

MARILYN AVEVA RAGIONE: "Diamonds are a girl's best friend". Sì ai punti luce che ti faranno brillare, che siano diamanti autentici o bigiotteria (in questo secondo caso considera il vantaggio che, se li perdi, non ti verrà un infarto).

Vestiti male e noteranno il vestito. Vestiti bene e noteranno la donna.
Coco Chanel

☺ seduci con un rossetto rosso e illuminati con un fard rosa

☹ no al look da ufficio: anche se ti cambi 5 minuti prima della cena, sentiti come una star!

41

🐱 Ricette per le feste

Sono le mie ricette preferite! Lo confesso: ho un debole per le feste, ho iniziato a fare la party planner subito dopo aver pronunciato la parola "mamma". Dall'onomastico all'arrivo di una bella notizia: qualunque occasione è buona per dare vita a un festeggiamento. Che non significa megaevento: bastano due palloncini e una buona torta per rendere migliore la tua giornata, e quella di chi ti sta intorno.

La forza delle piccole cose è tutta qui: un cerchietto buffo per ritrovare allegria, **un pasticcino** per migliorare l'umore (e peggiorare il punto vita, ma chi-se-ne-importa!)... In questi casi l'abito va di pari passo con la tua voglia di condividere, di scaldare il tuo cuore, di aprirti al sorriso.

Io esagero con dettagli divertenti, dai braccialetti cartoon alle **corna da alce** con i campanelli, passando per tonnellate di accessori rossi a Natale e quintali di glassa ai compleanni!

IL TUO COMPLEANNO. Devi volerti bene più degli altri 364 giorni dell'anno. Coccolati e divertiti anche se non fai nulla di particolare: ti meriti 24 ore al centro dell'attenzione, goditele! Indossa qualcosa di speciale pur facendo la vita di tutti i giorni, lavoro, bambini, spesa ecc. Un colore (io punto sempre sul rosa o sui toni del viola che vivacizzano il mio sguardo), un bijoux o un accessorio devono illuminarti come la stella cometa la notte del 24 dicembre. Mettiti quella maglietta buffa che hai comprato al mercatino, o la felpa con Topolino presa a Eurodisney. Torna bambina, ti farà bene! Se invece hai deciso di festeggiare con un party, l'abito è di rigore. Scollatura e tacchi alti: questa è la ricetta per uscire dal "fagotto" quotidiano e liberare la farfalla che hai dentro. Stupisci te stessa e gli invitati, fatti bella (il parrucchiere è meglio dello psichiatra per tirarti su) e... balla!

LA FESTA DEI BAMBINI. Che siano i tuoi figli, i tuoi nipoti o i bambini della tua amica/collega, devi essere curata ma soprattutto pronta a tutto. Potresti ritrovarti per terra sommersa da piccoli indiani ululanti, accovacciata a montare il grattacielo di Barbie (la casa è un ricordo vintage di noi bambine degli anni Ottanta, ormai la nostra bambola del cuore è una stressatissima globetrotter che comunica con Ken solo attraverso il blackberry) o dipinta come una tela di Picasso con il pomodoro delle pizzette… Bene il vestitino scuro che assorbe le macchie, messo però con calze colorate, e un accessorio fashion (cintura, cerchietto, tronchetti…). Perfetti i jeans, che non devono essere i soliti da weekend ma un modello che ti stia a pennello e ti slanci, insomma da mamma-trendy! Indossali con una blusa romantica, un pullover ricamato o una t-shirt griffata.

LA FESTA CON GLI AMICI. La parola d'ordine è: divertimento. Puoi ispirarti alle sezioni precedenti o creare un look apposito. Perfettissimo il party-dress che brilla, ma anche un gioco di strati. L'imperativo è fuggire la normalità e la banalità. Anche se sei timida, pigra o hai fretta, datti da fare per uscire dalla routine. Vanno benissimo anche i jeans, purché abbinati a un top mozzafiato.

NATALE E CAPODANNO. Le feste classiche sono sempre l'apoteosi del rosso e dell'oro. Per evitare l'effetto Gabibbo, mescola un pezzo rosso con il nero o un altro tono neutro. Esistono tante sfumature per interpretare il colore principe delle festività: dal bordeaux al prugna, dal corallo al mattone. L'oro è un must: dopo il trionfo assoluto degli anni

Ottanta aveva subito una leggera flessione, ma ora, proprio come in Borsa (quella di Wall Street, non la tua pochette nuova di zecca), le sue quotazioni crescono senza limiti. Quindi ripesca un vecchio top che brilla, un miniabito di lamé o un giacchino dorato: ti saranno utilissimi per festeggiare al meglio l'anno che verrà. E se non li hai, sono un ottimo acquisto/regalo natalizio. Un tocco di oro è per sempre.

SAN VALENTINO & CO. Ci sono tante altre ricorrenze, religiose e non, che si susseguono nelle 52 settimane dell'anno. Quelle più celebrate, proprio come il Natale, hanno dei canoni estetici e stagionali da rispettare. San Valentino è l'esaltazione dei cuori: da quelli di cioccolata a quelli meno calorici stampati su magliette, sciarpe, borse, oppure tintinnanti nei charms dei braccialetti. Tirali fuori tutti e abbinali in libertà. Abbiamo già chiarito che nelle feste il kitsch è chic. A Pasqua la voglia di rinascita e di tenerezza si esprime nelle tonalità del rosa e del pastello in generale, ma il giallo pulcino è la scelta vincente. Stesso colore per l'8 marzo: ricorda la mimosa ed è anche il simbolo del potere (gli imperatori in Cina si vestivano di giallo). Insomma, diamo un segnale forte!
A Carnevale ogni vestito vale; le feste d'estate si tingono di bianco e di tessuti freschi che danno un senso di libertà; poi si arriva ad Halloween. Siamo in autunno, i colori caldi

spazzano via quelli estivi, ci sono il marrone, il verdone e soprattutto l'arancione. Io adoro il color zucca, e lo sfoggio sempre nel ponte di Ognissanti. E se proprio sei una guastafeste e non ti va di giocare con il guardaroba, fai un'eccezione per gli accessori: dolcetto, scherzetto o almeno stiletto (vai a p. 110)!

Il pericolo delle paillettes

Un capo di paillettes è l'ideale per le feste, ma attenta a tutto ciò che pende: braccialetti con i charms, orecchini, perfino i bottoni della giacca del tuo vicino di tavola, tutto è in agguato o, meglio, in agguanto! Le paillettes tirano i fili della maglia (per sistemarli vai a p. 68) e si attaccano con perfidia proprio a quella pashmina cui tieni tanto… Una volta mi sono addirittura agganciata a un'altra ragazza vestita di paillettes e siamo rimaste impigliate per mezz'ora come due gemelle siamesi. Però è nata un'amicizia!

Ricette per i matrimoni

Magari avessi la ricetta magica… In ogni caso, vestirsi bene in quell'occasione, sia che tu sia **la star**, e quindi la sposa, oppure una co-protagonista come la mamma, la sorella, la testimone, la damigella (Pippa Middleton insegna: a volte si balza al centro della scena pur non essendo l'interprete principale dell'evento), è già un buon inizio.

Partiamo da lei, quella che ognuna di noi prima o poi sarà, è stata o comunque vorrebbe essere: la sposa (sì sì, pure tu che fai la dura, la single a oltranza, la carrierista… sei a rischio contagio). Ricordati che **l'eleganza dà fiducia in noi stesse.** E nel matrimonio la fiducia, si sa, è l'ingrediente principale.

LE TRE VALUTAZIONI DA FARE PER LA SCELTA DELL'ABITO DA SPOSA (e degli abiti eleganti in generale):

IL TESSUTO. Lucido, leggero, modellante, mosso, liscio… le varianti sono infinite. Informati, prova la sensazione al tatto, valuta il calore che trasmette (non devi congelarti, ma nemmeno sudare come in una sauna).

IL TAGLIO. Può essere dritto o sbieco (obliquo rispetto al verso del tessuto). Quest'ultimo ricade morbido anche sulle forme generose. Valuta come sono montati i pannelli e fai mettere delle pinces (sono pieghe che contengono l'"avanzo" di tessuto e modellano l'abito sul corpo).

LA DECORAZIONE. Le tecniche sono diverse. Ricami, applicazioni, inserti di paillettes, cristalli oppure piume. Sovrapposizioni di tessuti o spalmature di lacche metalliche. Trova il motivo che ti esalta.

La postura. Impara a camminare dritta, fai tante prove a casa, allunga la schiena con lo stretching, cerca di tenere le spalle basse e la testa alta. E, ovviamente, "petto in fuori e pancia in dentro!". Qualsiasi abito con un'andatura sbagliata perde la metà della sua bellezza. Segui i consigli del ballo alle pp. 153-154.

Il bianco. Meglio avorio o crema, che donano decisamente di più di quello che in gergo è il bianco ottico, sparato, dall'effetto quasi abbagliante. Bene anche il cipria e i toni del rosa fino al salmone. Bello l'oro se mixato con l'avorio, o l'argento con un punto di bianco più freddo. Il colore e le fantasie sono adatti per le cerimonie in Comune (in chiesa proprio no!), e mai mai e poi mai il nero: devi brillare ed emanare luce, non assorbirla.

Meringa o sirena? Ovvero, Lady Diana Spencer o Princess Kate Middleton? A te la scelta. Entrambe hanno fatto sognare, attenta però alle proporzioni dell'abito in base alla tua altezza e struttura fisica.

Strascico? Perché no? In fondo il giorno del matrimonio è l'apoteosi della Principessa (con la P maiuscola) che TUTTE abbiamo dentro, dunque facciamola godere! Il velo va bene per le giovanissime e per chi vuole trasmettere un sincero sentimento di purezza, è un simbolo importante che non va confuso con un dettaglio fashion. La mia amica Vale ne aveva uno romanticissimo in pizzo chantilly.

Come Cenerentola. Ai piedi scarpe belle, romantiche, con un tacco ragionevole. La maggior parte delle spose il giorno dopo si ricorda soprattutto il mal di piedi! E non è davvero gentile nei confronti del neomarito. Modelli classici ma preziosi, con un dettaglio che luccica, e soprattutto in armonia con la statura del tuo lui. Le ballerine sono una scelta poco usuale ma benedetta. In ogni caso, prendine un paio che stia bene con l'abito: la sposa scalza dopo mezzanotte è trash, quella in ballerine è molto chic! Considera anche gli stivali, se la cerimonia è d'inverno: la mia amica Susi si è sposata con il pancione indossando un abito stile impero assai romantico, e ai piedi dei bellissimi cuissards (stivali alti) di camoscio bianco.

Qualche curiosità sull'abito da sposa

Si narra che fu la principessa Filippa, figlia di Enrico IV d'Inghilterra (gira e rigira tutti i matrimoni da sogno vengono da lì), la prima a indossare un abito bianco da sposa nel corso della sua cerimonia nuziale: una tunica con un mantello bianco di seta bordato di ermellino. Il rito venne celebrato il 26 ottobre 1406 con Eric di Pomerania nella cattedrale di Lund. Durante la Rivoluzione Francese, Giuseppina Bonaparte lanciò la linea definita impero (tuttora molto gettonata): la particolarità è il bustino a vita alta da cui scende la gonna. Ma torniamo oltremanica: la regina Vittoria inaugurò uno stile nuovo, quello vittoriano (1840): vita stretta con corpetto e gonna ampia con strascico. Nel 1937 l'anticonvenzionale e audace Wallis Simpson sposò Edoardo VIII d'Inghilterra, duca di Windsor dopo la sua abdicazione al trono (ritrovi la storia nel premiatissimo film *Il discorso del re* con Colin Firth). Per il contestatissimo sì, lei, che era un'indiscussa icona di stile, scelse il crespo di lana azzurro chiaro declinato in un modello moderno, in linea con il gusto dell'epoca, che esaltava l'eleganza della sua figura esile. Il primo capo made in Italy, realizzato dalle Sorelle Fontana, è stato indossato da Linda Christian per le nozze con Tyrone Power (genitori della mia carissima amica Romina), svoltesi nel gennaio del 1949 a Roma. Due abiti antitetici ma esemplari, e di ispirazione per tutte, appartengono a due figure dal tragico destino: Grace Kelly e Diana Spencer. Le nozze di quest'ultima con Carlo d'Inghilterra sono state celebrate in mondovisione nella cattedrale di Saint Paul a Londra, il 29 luglio 1981. Lady Diana indossò un vestito di foggia vittoriana, molto pomposo e romantico, in taffetà di seta color avorio e pizzi antichi, con uno strascico di 7 metri, disegnato dai fratelli David ed Elizabeth Emanuel.

LA MAMMA (O LA NONNA) DELLA SPOSA O DELLO SPOSO

È al centro della scena. Non importa quanti anni abbia, deve sentirsi valorizzata al massimo, nessuno la obbliga a indossare un completo grigio topo. Pensa all'impeccabile regina Elisabetta vestita di giallo al matrimonio di William & Kate. Chi se li ricorda gli altri ospiti? Fai come lei, prova anche i colori decisi: arancio, verde, turchese e fucsia. Limita al minimo indispensabile il nero, il grigio e il blu. Il capo da scegliere deve essere un capo sicuramente speciale, ma senza esagerare. "Rimettibile", come si usa dire. Così sei sicura di sentirti bene, e non pronta per fare la comparsa in una telenovela sudamericana. Orientati così:

- cappottino con blusa e gonna;
- spolverino con abito dalla linea dritta;
- colori beige e pastello;
- accessori in toni neutri, ma con personalità;
- gioielli che aggiungano un tocco di luce e di allegria. Niente parure. Orecchini che luccicano e una spilla a forma di fiore.

LA SORELLA E/O LA DAMIGELLA

Spesso i due ruoli coincidono. A dire la verità fino all'avvento di Pippa Middleton le damigelle in Italia erano rare come gli idraulici nel weekend. La prima volta che ho sentito parlare di damigelle è stato nel film *Il matrimonio del mio miglior amico*: chi non ricorda la meravigliosa Julia Roberts che, in abito color lavanda, cerca di mandare a monte le nozze

di Cameron Diaz, sposa promessa del suo amico? Da qui si evince che la damigella può essere una pericolosa e, magari, involontaria rivale della sposa. La classica serpe in seno!

La regola n. 1 è ripetere, fin dal momento in cui ti viene chiesto di accompagnare la sposa all'altare, NON SONO IO CHE MI SPOSO: fallo almeno 10 volte quando ti svegli e altrettante prima di andare a dormire.

La regola n. 2 è chiedersi: HO IL LATO B PROPORZIONATO COME PIPPA? Perché è quello che si vede di più andando verso l'altare (se è grande facciamo un favore alla sposa perché mascheriamo il suo).

La soluzione più elegante è scegliere con la sposa l'abito, in modo che sia intonato al suo (anche se sei solo sorella e non damigella è bello essere in armonia). Non strafare con trucco/parrucco e accessori.

Qui si torna alla regola n. 1: NON SONO IO CHE MI SPOSO!

LA TESTIMONE

Mi posso definire una testimone seriale. La prima volta a 18 anni, poi più o meno ogni due anni. L'ultima volta vestita proprio color lavanda al matrimonio della mia amica Sara. Ormai ho il marchio DOC, come il prosciutto di Parma e il parmigiano reggiano. E devo ammettere che la cosa mi piace! Stare accanto alla sposa, vivere la cerimonia in prima fila godendo degli onori senza gli oneri non è affatto male! Ecco le regole:

• mettiti d'accordo con l'altra o le altre testimoni, per evitare l'orrendo rischio di fare i cloni, oppure l'opposto, con due abiti in netto contrasto e di conseguenza un effetto assai stridente;
• ok ai colori pastello, alle tinte forti e alle stampe floreali;
• accessori vivaci se l'abbigliamento è basico;
• calze sempre, anche microrete (sei esonerata se la cerimonia è all'equatore o il termometro supera i 38 °C);
• le mini e le scollature vertiginose vanno tenute entro i confini del buongusto. Banditi anche gli abiti troppo castigati e tristi. Rovinano l'umore della sposa tanto quanto quelli sexy, che sembrano fatti apposta per far dire NO al marito sull'altare, soprattutto se la misura del tuo reggiseno è la quarta e lei ha la seconda, ma con il push-up;
• sì al cappello, basta che non occupi mezza navata della chiesa, costringendo l'altra testimone a seguire la cerimonia dal parcheggio;
• no al nero. E ovviamente al bianco.

→ Suggerimenti per l'invitata

Di giorno. Dopo aver letto i paragrafi precedenti (se li hai saltati facci un giro, tanto prima o poi uno di quei ruoli ti tocca), potrai tirare un sospiro di sollievo per essere "solo" un'ospite. Rilassati preparandoti con la Ricetta base per le occasioni speciali (vedi p. 19), e scegli una delle opzioni che seguono. La soluzione PER TUTTE è l'abito al ginocchio. Anche per te che adesso stai chiudendo il libro, perché indossi sempre i pantaloni. Se proprio vuoi metterli... rendili femminili e romantici con una camicia o una blusa stampata, vivace e vaporosa. No ai jeans! Le varianti dell'abito sono infinite, scegli un modello in base alla tua corporatura: asimmetrico, scivolato, aderente, di jersey, di seta, di broccato, di velluto, stampato, ricamato. Ecco i consigli.

• Attenzione al taglio: quello che sta bene a tutte è lo sbieco.
• Divertiti con colori e fantasie: è un giorno di festa, lascia il nero nell'armadio.
• Scarpe curate ma non esagerate. Niente tacco 12 e sandali gioiello. Sì alla veletta o al cerchietto con gli strass.

Di sera. Qui ci divertiamo! Il "little black dress" è chic ma troppo formale per una cerimonia, deve essere proprio la scelta disperata (ma siccome a volte succede, non la scartiamo). Se non hai tempo per prepararti con i fatidici 40 minuti, tira fuori quel vestitino nero che ti sta a pennello, gioca con accessori metallizzati, un ciondolo grande al collo e sei pronta! Ma se hai tempo vinci la pigrizia e scegli una delle soluzioni che ti propongo qui sotto.

• Abito molto femminile in taffetà con il bustier, o in pizzo chantilly, longuette e romanticissimo, di color rosa polvere.
• Tutto ciò che luccica, tessuti scintillanti, lurex o paillettes. Ricordati che la parte ricamata deve essere sul décolleté per darti la giusta luce.
• Se vuoi un abito classico o bon ton vai su colori forti come fucsia, viola (è bellissimo di sera), ottanio (è un tono molto fashion tra il verde e il blu), bordeaux, rosso, blu elettrico (vedi pp. 71-73), da stemperare con accessori basici.
• Bene anche il lungo, meglio se l'abito non tocca terra ma è al polpaccio o alla caviglia.
• Scegli un top o un abito con le ali! Se vuoi coprire le braccia non costringerti a morire di caldo con la giacca o ad annodarti come un pacchetto di Natale con la pashmina. Opta per un capo con la manica tagliata in mezzo che si muove libera intorno al braccio, mascherando senza strizzare. Ce l'ha anche in una versione stampata Meryl Streep in *Mamma Mia!* (alla fine, quando si sposa con Pierce Brosnan, mica male...).

Ricette per il pancione

Evviva! Questa volta la "pancia gonfia" va esibita e non mascherata. Non devi fare spese pazze, anzi, goditi il piacere di indossare tutto quello che ti va senza preoccuparti. Suddividi il guardaroba in trimestri: **uno, due, tre, via!**

I TRIMESTRE: alla grande! Nausee a parte, qualche chilo in più non può che renderti più femminile. Si gode di un effetto di "mastoplastica additiva naturale" (ovvero tette grosse gratis) senza la necessità di un intervento. La pancia è solo accennata, la vita un po' allargata. Hai bisogno di un reggiseno nuovo (ma non ancora di quello specifico da gravidanza), puoi divertirti con qualcosa di sexy e dolce in stile "burlesque".

II TRIMESTRE: pancia nuova, vita nuova. Punta su maglie, t-shirt in cotone strecth sia d'inverno sia d'estate, con l'aggiunta di morbidi cardigan.

III TRIMESTRE: maximamma non vuol dire maxitenda. Sì ai tessuti naturali di qualità, alle linee morbide, bandito tutto ciò che è troppo attillato. L'abito passepartout è quello stile impero, tagliato sotto il seno, sia di sera sia di giorno: la mia amica ballerina Natalia Titova l'ha indossato fino al giorno del parto.

GLI INGREDIENTI DEL GUARDAROBA-CICOGNA

- Un paio di pantaloni e un jeans con vita allargabile, spesso di riciclo: mai come in questa occasione vale la regola dello scambio con parenti, amiche e conoscenti. Insomma, un giro trasversale ed ecosostenibile.
- Fuseaux anche colorati.
- Un vestito stile impero.
- Tre t-shirt di cotone elasticizzato.
- Abiti di maglia.

forbici in borsa per rimediare con strategici tagli alle sofferenze dovute a collant stretti, pantaloni o gonne

Ricette senza età

La moda è un **viaggio meraviglioso** che ti permette di sperimentare vari modi di essere, con un grande vantaggio: non servono i documenti. La tua età non va dichiarata alla commessa quando provi, né deve rappresentare una barriera per le tue scelte. L'importante è avere la consapevolezza della tua personalità e della struttura fisica. Conosco ragazzine timide che si mascherano con goffe sovrapposizioni di strati (in effetti anch'io fino ai 30 anni ho SEMPRE tenuto un golf legato in vita, che stupida insicurezza...) e signore bellissime, over 60, che sfoggiano con eleganza gambe e décolleté. Per non parlare dei colori: non ho mai visto la mia fantastica nonna Delia vestita di nero. Amava il viola in tutte le sfumature, il rosso e il pastello. Ecco qualche ricetta per **vincere il tempo**.

Il **bianco** è il grande alleato delle donne, illumina il viso donando "un effetto lifting" molto naturale. Bene tutti i toni chiari e le tinte forti. Ma se proprio vuoi vestirti di nero, metti calze colorate e una sciarpa vivace.

Scarpe e borse impeccabili. La regina Elisabetta ancora una volta insegna. Che siano all'ultima moda o un ripescaggio dal guardaroba, devono essere tirate a lucido e coordinate con attenzione. Meglio i tacchi, anche di pochissimi centimetri, delle zeppe. Divertenti i cappelli. Obbligatori gli occhiali da sole anche d'inverno: danno un'aria interessante e possono essere una valida alternativa al make up.

Porta sempre una pashmina o una lunga sciarpa di seta da far scivolare lungo i fianchi anche per camuffare eventuali chili di troppo.

Gioielli vivaci intervengono, là dove serve, meglio del bisturi. Nonna Delia indossava girocolli molto stretti che le sostenevano la pelle del collo trattenendo la forza di gravità: era una Bilancia, vanitosa come me ;-).

Capelli naturali o in sfumature dolci. Le tinture color comodino fanno sembrare un pezzo d'antiquariato anche una diciottenne. Piuttosto scegli il blu, come ha fatto Lucia Bosè, che ho la fortuna di conoscere. Una volta mi ha detto: le tinte sono orrende, il bianco non mi piace, mi farò i capelli blu come le unghie di mia nipote.

Ricette per la valigia e per i viaggi

Mare o montagna? Cultura o avventura? Il problema è lo stesso per tutti i tipi di viaggio: come preparare la valigia! Inizia con una check list, come fanno i piloti degli aerei. Scrivi da una parte quello che ritieni indispensabile e, su un altro foglio, il programma di massima del tuo viaggio, per valutare le occasioni e il numero dei cambi. La **check list** ha innumerevoli vantaggi: il primo è che non scordi nulla sia all'andata sia al ritorno (quando fai molte tappe, ti serve come l'ombrello a Londra). Il secondo è che se la sfortuna ti colpisce e perdi un bagaglio puoi fare la denuncia dettagliata. Ma torniamo a noi: il look vincente è quello a strati, ti permette di regolare il tuo abbigliamento in base al clima e alle situazioni. Non so perché viaggiando in aereo si lievita sempre come la panna montata, quindi per il tragitto sono off limits capi stretti e tacchi alti. Io ho una "divisa" per i viaggi lunghi composta da fuseaux o pantaloni di maglia, comodi ma comunque femminili e chic, un top avvitato a girocollo (o una t-shirt nera) e, sopra, un cardigan zippato con le trecce. Una **sciarpa avvolgente** è la mia inseparabile compagna. Sempre occhiali da sole e cappello, di lana o feltro d'inverno, da baseball o di paglia d'estate.

TEORIE E PRATICHE PER UN BAGAGLIO ACCETTABILE

(quello perfetto è come il principe azzurro: non esiste!). Mia madre mi prende sempre in giro quando faccio le valigie, e mi dice che ci vorrebbe Merlino, come nel film *La spada nella roccia*, della Disney: in 5 minuti riesce a mettere in una borsina 500 piatti e tazzine, 2000 libri e un tot di altre cianfrusaglie. Beato lui! Se vuoi proprio saperlo, la "soluzione Merlino" (*òcheti pòcheti òcheti wà [...] se ciascun si stringerà, il posto a tutto si troverà*) esiste. Impazza tra le americane e sta prendendo piede anche da noi. Consiste nello spedire il bagaglio prima della partenza. Oltre ai corrieri tradizionali esistono dei veri e propri professionisti del viaggio leggero. C'è addirittura un'organizzazione che tiene i tuoi capi, li lava e li spedisce di volta in volta dove vuoi tu! Praticamente un armadio virtuale molto efficiente, ma più adatto agli uomini. Che senso ha avere quel vestitino che ti sta a pennello per parcheggiarlo in una galassia parallela, in attesa della prossima partenza?

Se la soluzione Merlino non fa per te, nella pagina a fianco ecco la "ricetta" tradizionale. È la mia preferita: sono diventata un'esperta del bagaglio espresso. Grazie alle liste, all'esperienza che si acquisisce con gli errori (mai le medicine nella stiva o i liquidi a mano) e a un armadio abbastanza organizzato (non ordinato), riesco a impacchettare tutto alla velocità della luce.

🙁 calze bucate per viaggiare in aereo: i controlli all'imbarco sono come il ristorante giapponese, tutti senza scarpe!

🙂 un capo iperfemminile qualunque sia la meta: una coulotte di pizzo sotto la tuta da sci è davvero sexy!

IL LETTO. Ci metto sopra quello che vorrei portare, sia i capi sia gli accessori. Visualizzare tutto insieme permette di eliminare i doppioni, e notare che ci sono troppi "sopra" o "sotto", aiutandoci a bilanciare. L'unico inconveniente è che io faccio le valigie di notte, quindi la mia dolce metà (che ha già finito la sua da ore perché come il 90% degli uomini è più razionale e pratico) viene sommersa da una valanga di vestiti.

L'ELIMINAZIONE. Con la lucida freddezza di chi annuncia le esclusioni in un reality show, lascia a casa quello che non ti servirà. Usa la lista degli impegni per stroncare l'abito con lo strascico al safari, oppure il lino a Oslo. Se necessario riprova i capi: quei jeans così trendy che ti stavano bene due taglie fa... abbandonali a terra. Devi essere molto crudele e un po' furba. Usa valigie superleggere, con la zip che permette di allargare gli scomparti. Insomma, se sei organizzata non devi fare troppe rinunce! Il mio limite è quando non riesco più ad alzare la valigia, come mi ha insegnato la nostra carissima amica Silvana Giacobini: una donna indipendente deve essere in grado di tirare giù il bagaglio dal nastro, tanto poi ci pensano le rotelle...

I BLOCCHI. Sovrapponi i capi sopravvissuti per categorie: lingerie + notte, t-shirts + maglie, camicie, pantaloni con gli abiti (piegali nello stesso modo, per il lungo, in modo da creare un'unica pila).

LE BUSTINE DI PLASTICA. La valigia diventa un ordinatissimo congelatore: ogni categoria sta nel suo sacchetto (non occorrono quelli sottovuoto), tranne gli abiti e i pantaloni. I vantaggi sono molteplici: i capi si spiegazzano di meno, ci metti un attimo a tirarli fuori quando arrivi, e se si rompe il barattolo della crema idratante non trovi una "crêpe farcita" al posto della maglietta... Se procedi con rigore ti rimarranno tra i sacchetti piccoli spazi vuoti da riempire con oggetti elettronici, regalini ecc.

GLI ABITI DA SERA. Se devi andare a un evento e porti con te un abito speciale, infilalo in un sacco grande trasparente come quelli della tintoria, appeso a un appendiabiti sottile. Inseriscilo nel bagaglio alla fine, ripiegando verso l'interno il gancio. Appena arrivi a destinazione, toglilo dalla valigia e dal sacchetto e appendilo in bagno, apri la doccia per creare un po' di vapore e l'abito si riprenderà immediatamente. Questo vale anche per le camicie e i completi eleganti da uomo.

Bisognerebbe fare santo chi ha inventato le rotelle alle valigie! (frase storica di un nostro carissimo collaboratore, Mario, che ci accompagna/riprende quando viaggiamo)

Le ricette speciali di Lavinia

Una vera Wonder Woman!

Se ami i tuoi capi li devi conoscere. Leggi bene le etichette prima di lavare e smacchiare. Se non sei sicura fai la prova sempre su un angolo, per vedere come reagisce il tessuto. Lava a mano le cose preziose alle quali tieni di più. Usa prodotti specifici e scopri i rimedi alla **Harry Potter** per gestire come con una bacchetta magica tutte le situazioni.

Dalla dispensa all'armadio: soluzioni dalla A alla Z

ANGORA. Quanto mi piacciono i pull "pelosi", ma se abbracci il tuo lui in giacca e cravatta con un capo d'angora nuovo di zecca gli lasci più peli del gatto Garfield. La soluzione è, prima di indossarlo, metterlo per un paio d'ore nel freezer (in un sacchetto di plastica). L'effetto collaterale dello "spelamento" si riduce del 90%.

BIRO. Ti è scoppiata la Bic sulla camicia bianca mentre eri in ufficio? Togli l'inchiostro con il latte! Questa ricetta mi è stata trasmessa da una signora di Alessandria d'Egitto. Metti in un pentolino un bicchiere di latte intero, accendi il fuoco e portalo a ebollizione. Spegni e intingi un panno pulito, con il quale strofinerai più volte la zona da smacchiare. Ci vuole olio di gomito ma il risultato è garantito. Una volta tolto il segno, lava il capo.

CASHMERE. Il "New York Times" ha definito mia madre Laura "la regina del cashmere". Questa quindi è una ricetta a 5 stelle: per far durare un'eternità il tuo maglione preferito, lavalo con uno shampoo da bambini, delicato e neutro. È molto meglio di un prodotto industriale. Usa acqua "morta" (a temperatura ambiente), poi avvolgi il capo in un telo di spugna e fallo asciugare al buio. Non appenderlo mai. Amalo e ti amerà per sempre!

CAFFÈ. Hai chiuso gli occhi pensando a George Clooney davanti alla macchinetta e ti sei rovesciata addosso l'espresso? Mettici subito dell'acqua gassata, poi procedi con il lavaggio normale.

CERA. La cenetta romantica si è conclusa con una bella colata di cera sul vestito nuovo o sulla tovaglia? Nessun dramma. Togli le parti in eccesso con un coltellino, poi metti il capo tra due fogli di carta da cucina (serve un materiale che assorbe) e passaci sopra il ferro caldo. La cera si staccherà aderendo alla carta. Se rimane l'alone usa lo smacchiatore, altrimenti lava il tessuto come fai di solito.

DOPPIA COPPIA. Ovvero come far durare twin set, completini ecc.: la regola è lavare sempre i due pezzi insieme, sia che si tratti di lingerie, sia di costumi o di maglie (vale anche per tovaglia e tovaglioli). Di solito uno dei due componenti viene lavato più spesso dell'altro e finisce per scolorirsi di più. Non "scoppiare" la coppia e lava sempre insieme i capi doppi.

ERBA. Sono cresciuta in campagna e da ragazzina avevo tutti i giorni le ginocchia verdi! La mia tata toglieva le chiazze di prato con alcol puro, e poi lasciava i capi a bagno prima di procedere con il lavaggio. Adesso mi capita spesso, tornando dalle passeggiate con i cani, di avere macchie di erba sugli stivali di pelle. Ho imparato a strofinare delicatamente un miscuglio di bicarbonato di sodio e acqua usando un vecchio spazzolino o utilizzando un panno morbido.

FORBICI. Mia madre dice sempre che sono l'ultima spiaggia contro le macchie impossibili. Pensi che io stia scherzando? Niente affatto! Alle sfilate ne ha sempre un paio al collo per ritocchi provvidenziali prima dell'uscita in passerella delle modelle (un filo che pende, un'etichetta che sbuca e voilà, lei taglia al volo!). Se il danno è irreparabile e la posizione della macchia lo consente, accorcia il vestito, elimina le maniche, fai diventare l'orlo asimmetrico...

GOMMA DA MASTICARE. La prima volta che mi si è appiccicata sui jeans ero al cinema a vedere *Ghostbusters*: avevo 6 anni ed era il 1984. Me l'hanno tolta con un cubetto di ghiaccio. In alternativa metti il capo (anche questa volta in un sacchetto) nel congelatore. Il chewing gum si indurisce e si può staccare con la lama di un coltello.

HOTEL. Sei in viaggio e devi stirare senza il ferro da stiro? Ci sono tre soluzioni. Con il vapore della doccia (non fare come una mia amica che, per chiudere il rubinetto, si è inzuppata i capelli freschi di piega e sembrava un mocio Vileda). Con il phon: scalda le grinze e le pieghe con l'asciugacapelli mentre tiri dal fondo il vestito, tenendolo in tensione. Con la piastra per i capelli*: è decisamente più delicata del ferro da stiro, visto che non deve carbonizzare la chioma ma dare la forma. Passala con attenzione nelle zone stropicciate, è perfetta per i bordi, gli orli e i colletti. Ottima per rifinire i dettagli delle camicie, anche quelle del tuo lui.

INTIMO. Lava a mano, in acqua fredda (per non stingere) e senza strofinare, sia i pezzi pregiati sia quelli... low-cost. Usa detersivo neutro e non lasciare in ammollo. Proprio come facevo da bambina con il pazientissimo nonno Giuseppe, quando giocavo alla "bella lavanderina".

LUSTRINI (E PAILLETTES O RICAMI). Sono la versione meno drastica del "rimedio forbici"! Se hai una macchia indelebile su un top o su un vestito, coprila con delle paillettes o con un decoro da applicare, per esempio fiori di tessuto o di perline. La mia amica Fede, che ha schizzato irrimediabilmente uno splendido abito nero, è stata salvata dal nostro amatissimo sarto Augusto che ha staccato le paillettes dalle maniche, dove erano molto fitte, e le ha applicate sulle macchie formando un decoro geometrico.

MINESTRA (ANCHE SUGHI). Il campione di tennis Nicola Pietrangeli, grande amico della nostra famiglia, mi ha trasmesso la passione per le zuppe. Prepariamo spesso minestroni per i nostri amici, lo schizzo ci scappa e al momento di portare in tavola mi accorgo dell'inevitabile "patacca" (come si dice a Roma). Se è grassa si cosparge di talco e poi si usa uno smacchiatore specifico. Se non è unta bastano acqua tiepida e detersivo.

NEBULIZZATORE. Serve a rianimare senza un lavaggio completo un capo che è stato a lungo nel cassetto, dall'oggetto vintage alla maglietta schiacciata in fondo alla valigia. Metti nel nebulizzatore (quello delle piante) acqua, qualche goccia di aceto e spruzza: toglie l'odore di vecchio e di chiuso.

OLIO. Sono macchie che spaventano... soprattutto le cravatte degli uomini. Tampona subito con borotalco o sale fino (attenta ai tipi superstiziosi). Vanno bene anche le scaglie di sapone di Marsiglia a secco, ma è raro averle sottomano. Poi lava.

*Come ho fatto a scoprire che la piastra è veloce e pratica? Un giorno, alle 4,40 del mattino, mi stavo preparando per andare a una diretta in tv, quando ho visto che la blusa bianca che avevo deciso di indossare era piena di increspature, soprattutto sulla scollatura e sulle maniche. Mi stavo stirando i capelli con la piastra, non avevo il tempo di scaldare il ferro a vapore (e ammetto di non essere proprio un'appassionata di stiro) e stavo entrando nel panico... Una veloce intuizione: prima ho provato un'area piccolissima per vedere come reagiva il tessuto e... voilà! Niente grinze e niente pompieri.

POLLINE. Sono allergica e sto alla larga dai fiori troppo profumati. Ma passeggiando nei vivai, che sono un vero toccasana per lo spirito, può succedere di urtare contro i pistilli giallo-rossi di alcune qualità di gigli. Mai agire d'impulso! Faccio asciugare bene la macchia e poi elimino il polline con una spazzola.

PROFUMO. Lo spruzzo volontariamente sui vestiti, per sentirli davvero miei e mantenere una sensazione di benessere tutto il giorno. Non mi sono mai macchiata, perché faccio attenzione a tenere una distanza di circa 30 cm tra la bottiglia e il capo. Se però ti dovessi avvicinare troppo, tratta il segno giallastro con uno scioglimacchia e poi lava come sempre.

QUA LA ZAMPA! Per tutti noi che amiamo gli animali e ci facciamo volentieri travolgere dalle loro effusioni, la soluzione per "spelare" al meglio i capi è lo scotch da pacchi, da usare a mo' di ceretta.

ROSSETTO. Se trovi due labbra rosso fuoco sul colletto del tuo lui, e tu usi solo gloss o burro di cacao, passa direttamente alla soluzione forbici. Tagliuzza e forma un origami giapponese con la sua camicia, poi corri a comprare un rossetto indelebile e baciagli il resto del guardaroba! Ma se la macchia è tua, usa un solvente specifico (va bene anche il latte detergente) per rimuovere la chiazza, oppure del detersivo sgrassante per stoviglie, e infine procedi con il lavaggio in base al tessuto.

SMALTO. Ho iniziato a dipingere le unghie con lo smalto colorato solo nel 2011, come sollievo per l'umore dopo un piccolo infortunio in bicicletta. Adesso non ne posso più fare a meno! Da neofita ho penato un po' prima di riuscire a metterlo bene e ho lasciato tracce fucsia, arancio e bordeaux qua e là. Ho risolto usando qualche goccia di acetone (metti i guanti, altrimenti rovini lo smalto sulle unghie appena messo!), applicandolo sul rovescio della macchia. Poi bagno e lavo come sempre. Mai usarlo con tessuti sintetici, come acetati, e neppure con la viscosa.

STIRATURA DEL FERRO (MACCHIA E USTIONE). Se come me sei una "casalinga un po' disperata" potrà capitarti di fare una macchia marroncina con il ferro, magari stirando una camicia bianca. Passaci subito il limone. Quando invece si tratta di una bruciatura profonda vai al rimedio forbici...

Dimenticavo un altro consiglio: se ti bruci la mano metti subito fettine di patata cruda sulla parte colpita. Sono molto più efficaci di creme & Co.!

TARME. Devi assolutamente difendere i tuoi capi dalla voracità di queste odiose "fashion killers". È provato che le sostanze chimiche fanno male, dunque la ricetta migliore è realizzare un *pomander* (nel disegno), che è un profumatore naturale per armadi. Rilascerà un profumo di fresco e le tarme se la daranno a gambe! Per realizzarlo ti bastano un'arancia, una manciata di chiodi di garofano, un pizzico di cannella e un bel nastro di raso del colore che preferisci. Infila i chiodi di garofano nella buccia, cospargi con la cannella e poi realizza un bel fiocco che servirà ad appendere il tuo profumatissimo pomander nel guardaroba. In alternativa puoi "condire" l'armadio con qualche grano di pepe nero: lo faceva sempre mia nonna Delia.

TINGERE CON IL TÈ. Questa volta macchiamo di proposito! Se vuoi dare un aspetto vissuto alla tua maglietta o a un altro capo del guardaroba, immergila per 24 ore in una bacinella con acqua e 4-5 bustine di tè. L'effetto vintage è assicurato senza dover aspettare vent'anni!

VINO ROSSO. Queste sono le macchie DOC dei fidanzati. Oppure delle cene informali con le amiche. Tamponare e sciacquare con acqua tiepida e sapone.

ZUCCHERO, MIELE E LIQUORI. Sono golosissima di miele e per darmi energia lo mangio come se fossi un orso, al punto che ne tengo anche un barattolo in ufficio e uno mini in borsa. Fa benissimo anche se, inevitabilmente, mi appiccico le mani e qualche goccia può sfuggire su quello che ho addosso. Niente di più facile da eliminare: corro a sciacquare con acqua tiepida, come per le caramelle, i lecca-lecca e lo zucchero filato che regolarmente finiscono più sul cappotto dell'accompagnatore che nella bocca del bambino! Stesso discorso vale per tutte le bevande zuccherate: sono praticamente astemia, ma un sorso di limoncello, magari se mi trovo in Costiera amalfitana, mi piace assaggiarlo. Anche qui, acqua tiepida e strofinare con un panno pulito; sui capi bianchi si può candeggiare con acqua ossigenata.

# 5 ricette per...

Sbloccare la zip. Le cerniere semplificano la nostra vita, a parte quando si bloccano. E succede regolarmente quando sei di corsa. Inizi a sudare e lei non va né su né giù! Se è inceppata, sbloccala strofinando il fianco di una candela di cera sui dentini (prova anche con il sapone liquido)!

Stringere un maglione o un vestito di lana. Drappeggia sul retro con una bella spilla da balia, creando un effetto morbido, e ridimensiona il capo come vuoi tu, senza bisogno di una sarta. Puoi anche optare per l'effetto "a vista", usando delle maxi spille con decorazioni, come fanno gli scozzesi con il gonnellino.

Aggiustare l'orlo scucito dei pantaloni. Corri a comprare dello scotch biadesivo che sistemerai all'interno, ripiegando l'orlo e scaldando bene con le mani per fissarlo. Se vuoi farlo durare, verifica, stendendo i pantaloni su un ripiano, che i due orli siano della stessa lunghezza, altrimenti regolali in modo che diventino uguali. Sistema una nuova fascetta di scotch e passa più volte il ferro per fissare. Non dura in eterno ma ti permette di aspettare finché che non trovi una brava sarta (o torna a trovarti la zia che è un asso del cucito...).

Sistemare un filo tirato. Sono necessarie mani d'oro come quelle di una magliaia, ma puoi farcela anche tu! Posa il capo su un piano orizzontale. Allarga e tira per far "rientrare" il filo nella trama. A questo punto passa il ferro da stiro, sempre aiutandoti con le dita. ATTENZIONE: le mani non devono avere screpolature e le unghie non devono essere spezzate. Vale per golf, sciarpe, vestiti di maglia ecc.

Allargare un capo. Con il vapore del ferro da stiro si può ottenere un ottimo risultato, soprattutto con capi di maglia, jersey o tessuti stretch. Scalda la zona critica da allargare tirando verso l'esterno. Ripeti più volte: usa il vapore e tira con le mani. Se devi recuperare due taglie, appunta con degli spilli, sull'asse da stiro, i fianchi del capo di maglia fino alla misura che desideri raggiungere. Passa vapore abbondante, poi per asciugarlo stira, e lascia il capo così tirato per qualche ora. Sii precisa nell'appuntare, altrimenti si formeranno gobbe antiestetiche. Per i materiali rigidi e pesanti devi vedere se c'è del tessuto all'interno, così la sarta potrà scucire e recuperare quanto più possibile. Ultima spiaggia: falle inserire un "fianchetto", cioè un triangolo di tessuto, in tinta o a contrasto, per riportare il capo alla tua nuova taglia. Vale per abiti e giacche.

Fuga dal nero: alla (ri)scoperta dei colori

Qual è il tuo colore preferito? Io sono come Picasso, vado a periodi: questa alternanza mi affascina perché mi permette di sperimentare gli effetti che hanno su di me le diverse tinte, le emozioni che suscitano, le reazioni che provocano. Ovviamente ho dei punti di riferimento: il rosso, del quale mi circondo (scrivo sempre con il pennarello rosso) e che indosso quando voglio attivare l'energia; il bianco, che illumina il volto e lo spirito; i toni del rosa, che mi accompagnano da quando ero piccola. Poi ho dei **colpi di fulmine**: l'arancione, per esempio, che sta diventando una vera ossessione. Il fucsia, quello delle donne indiane, che ormai considero una tinta basica: lo metto facilmente con tutto e lo scelgo quando ho bisogno di comunicare sensazioni positive. L'ottanio, un colore raffinato e versatile che va bene dal jeans all'abito lungo. Il viola, che ha invaso i nostri armadi tra il 2008 e il 2010, e ora non se ne va più.

Non puoi crearti uno stile ad alto tasso di personalità senza lavorare sul **potere dei colori**. Per esempio, se hai una forte attrazione per una certa tonalità studiala e cercane le qualità: introdurlo nella tua vita può aiutarti a esprimere ciò che simboleggia. Se sei alla ricerca di equilibrio punta sui toni chiari del celeste; se vuoi più benessere, indirizzati sui verdi; per rafforzare concretezza e determinazione c'è il caramello. Eh già, la cosa più bella dei colori sono proprio le sfumature: infinite combinazioni che ti permettono, come in una **magica sinfonia**, di realizzare la tua ricetta di eleganza e felicità.

→ La top ten dei colori

1. Bianco

È il colore-non colore per eccellenza. Porta luce e rinnova, aiuta ad aprire la mente.

2. Rosso

Accelera i battiti cardiaci e stimola l'adrenalina (quindi è adatto alle freddolose come me). Ottimo per lanciare un'iniziativa o quando c'è bisogno di dinamismo e vitalità. Aiuta ad agire, ad avere sicurezza e coraggio, a vivere pienamente ogni attimo.

3. Blu scuro-Indaco

Induce la tranquillità e la pace interiore. Rafforza l'intuito, incoraggia la contemplazione e la spiritualità. È adatto per studiare e riflettere, aiuta a comunicare bene, favorisce la purificazione mentale. Rallenta i battiti del cuore.

4. Verde

Rappresenta perseveranza ed equilibrio. Indica autostima e rivela la solidità delle nostre radici. È il colore della speranza, di chi vuole crescere e affermarsi. Favorisce l'armonia in quanto ha un effetto calmante sul sistema nervoso. La filosofia indiana associa il verde alla terra e sostiene che amplifica le vibrazioni e aiuta a trovare pace e serenità.

5. Giallo

È la tinta dell'illuminazione e della redenzione, riporta la gioia, la chiarezza e il coraggio. Allontana i pensieri negativi, suscita voglia di espansione e spinge al movimento. Rappresenta l'ottimismo, l'intelligenza, la saggezza, la parola e l'autocontrollo. In Cina è il colore del potere, legato alla figura dell'imperatore.

6. Viola

È la mescolanza di rosso e blu, simboleggia l'unione degli opposti, la metamorfosi, il mistero e la magia. È il colore dell'arte, della fantasia, del sogno, dell'altruismo e della guarigione. Stimola umiltà e saggezza. Secondo Leonardo da Vinci, il nostro potere meditativo aumenta se la meditazione avviene sotto una luce violetta che filtra attraverso i vetri colorati di una chiesa.

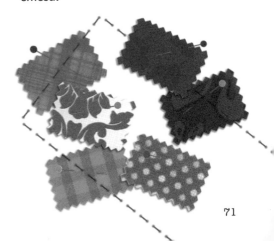

7. Marrone

Indica la sicurezza, l'amore per le proprie origini, la prudenza. Favorisce la concentrazione, la perseveranza e la logica. Serve per rafforzare la pazienza e la tenacia. Suscita desiderio di casa, di un rapporto sicuro. Trasmette la sensazione di una persona con grande forza d'animo, che crede nelle tradizioni, ha risorse interiori e capacità lavorativa.

8. Arancio

È la bandiera dell'ottimista a oltranza, facilita i rapporti con gli altri, rivela uno stato d'animo brillante, positivo ed energico. Combina la forza fisica con l'acume mentale, favorisce anche l'intuito e il perdono. Riscalda ed euforizza, stimola la voglia di coltivare interessi diversi, aiuta la mente ad aprirsi e a svilupparsi.

9. Rosa

Mette in equilibrio gli aspetti seri e quelli giocosi della vita, bilanciando la parte intellettuale con quella emotiva. Induce la positività, il senso di gratitudine e aiuta a dirigere le energie verso una meta importante. Rinvigorisce lo spirito, accresce la fiducia e l'entusiasmo, stimola l'altruismo. Caratterizza persone sensibili che sanno trasmettere bellezza. È un alleato dell'energia femminile e attira amore e dolcezza.

10. Turchese-Blu ottanio

La sua luce è rinfrescante, sedativa e lenitiva. Il raggio azzurro investe gli aspetti della verità e mette in sintonia con la saggezza. Sostiene la comunicazione creativa, aiuta a esprimere i propri sentimenti e a comprendere idee diverse dalle nostre. Dà sicurezza e libera dalle emozioni negative. Incoraggia la voglia di viaggiare e di esplorare.

+1: Oro!

Fonde il lato gentile con quello più aggressivo. Stimola l'espressione creativa e l'intraprendenza, aiuta a superare dubbi e preoccupazioni. È amato da personalità molto attive, aiuta a rilasciare le paure irrazionali, ricollegandoci alla nostra saggezza innata. Rinnova l'energia quando si è stanchi, cancella l'oscurità, incoraggia il pensiero, risveglia l'intelligenza, la comunicazione e l'agilità mentale.

Tutti questi toni si fondono, dando vita a un'infinità di sfumature. Ogni giorno ho la fortuna di lavorare con moltissimi colori, di scoprirne di nuovi, di ascoltare termini sorprendenti per descrivere una tonalità. E ciò spiega perché numerosi protagonisti del mondo della moda si vestono spesso di nero: diventa una sorta di divisa che ti permette di lavorare, in modo neutro e distaccato, con gli altri colori. La nostra Bibbia è il Pantone, la massima autorità mondiale in fatto di colori (se vuoi saperne di più guarda www.pantone.com).

ECCO ALCUNI NOMI CHE USIAMO PER DESCRIVERE I COLORI: TI FARANNO SICURAMENTE SORRIDERE!

Per la tipa da spiaggia: ci sono scottatura (marrone), mar dei Caraibi (turchese intenso) e blu surf...

Per la regina dei fornelli: mele al forno (bordeaux), peperoncino piccante (rosso scuro), grappa di prugne (viola), albicocche al brandy (rosa).

Per la golosa: caramella mou (giallino), succo di lampone (viola chiaro), crema di menta (verde), uova di Pasqua (lilla).

Per la vegetariana: melone dolce (arancione), verde lattuga, frappé d'uva (lilla).

Per l'happy hour: sangria (viola), champagne (quasi avorio), effervescenza di birra (beige giallino).

Per la romantica: quiete d'orchidea (lilla tenerissimo), neve rosa, luce di stelle (celestino).

Ci sono milioni di tinte, chissà quante ne avrai sentite anche tu. Annotale mentalmente e divertiti a descrivere ciò che vedi intorno a te. Stimolerai creatività e buonumore. Associa i colori a un momento speciale, cerca in loro il coraggio per una prova, il conforto in un momento no, l'esaltazione della tua felicità quando stai bene. Ma circondati sempre di un tocco di rosso: porta fortuna e aiuta a cogliere l'attimo!

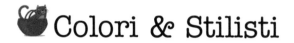

Colori & Stilisti

Mia madre ha **scelto il bianco**, che è diventato la sua cifra distintiva. E come lei tanti altri grandi stilisti sono caratterizzati dalla presenza forte di un determinato colore nelle loro collezioni. Scopriamo l'origine e il perché.

Armani → Greige È una nuova tonalità ideata da "re Giorgio", amico da sempre di mia madre. Il greige è una miscela tra il grigio e il beige ricca di variazioni. Non rappresenta soltanto un colore ma un vero e proprio concetto di stile. «Eleganza non significa essere notati, ma essere ricordati», dice Armani. E il greige è la quintessenza di questa filosofia.

Biagiotti → Bianco Il bianco sta a Laura come la Luna sta alla Terra. La circonda sempre. Fu la leggendaria giornalista di moda Diana Vreeland a dirle di vestirsi di bianco, come segno di identificazione e perché aveva visto in lei un'aura particolare che andava riflessa anche con l'abbigliamento. C'è sempre il bianco in tutte le collezioni Biagiotti, dalla prima sfilata nel 1972.

Chanel → Beige Mi rifugio nel beige perché è naturale, diceva Gabrielle Chanel. Lo considerava l'estrema sintesi tra il bianco e il nero. Ne ha fatto l'emblema delle sue creazioni, anche perché evoca qualcosa di essenziale, come la pelle.

Missoni → Zig Zag Le righe colorate sono il segno distintivo di questa azienda che è l'espressione gioiosa ed elegante di una famiglia straordinaria, capitanata da Ottavio e Rosita. I colori s'incontrano e si scontrano creando textures innovative, geometrie optical, astratte o folk.

Valentino → Rosso La leggenda dice che il "Maestro" sia rimasto folgorato dal rosso in un viaggio in Spagna, mentre guardava uno spettacolo all'Opera di Barcellona. Il suo "rosso" è un punto di riferimento universalmente riconosciuto e identifica una tonalità cangiante tra l'arancio e il rosso vero e proprio. Incarna un'ideale di raffinatezza e coltivata seduzione che da sempre contraddistingue le creazioni di Valentino.

Versace → Oro La medusa è il simbolo della griffe, con un evidente richiamo alla Magna Grecia, terra d'origine di Gianni, Donatella e Santo. La maglia di metallo è una delle invenzioni geniali di Gianni dei primissimi anni Ottanta: gli abiti regalano alla silhouette i riflessi del metallo più prezioso che ci sia.

Esistono molti altri colori legati a maison italiane e straniere.
Questa selezione rappresenta i capisaldi con cui sono
cresciuta e con i quali mi confronto nel lavoro di ogni giorno.

3.

Gold Mine

L'armadio
è una miniera

Probabilmente hai già (quasi) tutto quello che ti serve: hai investito del denaro, devi valorizzare il tuo guardaroba curandolo con amore. Perché? È il tuo "giacimento": basta guardare le quotazioni del vintage, che schizzano come quelle del petrolio.
E se ritrovare un vestitino nuovo di zecca che era finito schiacciato nell'armadio è sempre una bella sorpresa, scoprire due maglioni identici, comprati in momenti diversi, fa sempre arrabbiare un po'!

→ Questione di organizzazione: 5 suggerimenti per ordinare l'armadio

 1. Appendiabiti sottili e antiscivolo

Via quelli di plastica o di legno. Sostituiscili a mano a mano che sistemi le cose o acquisti nuovi capi. Elimina l'effetto "misto-mare" di appendini tutti diversi e punta invece su un unico modello. È un piacere per l'occhio e un'ottimizzazione degli spazi. Li trovi facilmente in diversi negozi (io li compro su www.cosatto.it). Esistono le versioni multiple che permettono di appendere più pezzi. Non tenere mai appendiabiti vuoti: rubano posto e fanno disordine.

 2. Svuota tutto ogni 6 mesi

Al cambio di stagione (vedi p. 84) ribalta completamente gli spazi in cui conservi il tuo guardaroba (non sempre si tratta di un solo armadio, ma spesso, soprattutto gli accessori, infestano la casa occupando varie aree...). Fai un censimento di ciò che hai e pulisci a fondo ogni angolino. Usa sempre delle bustine profumate, meglio se naturali, o il mitico "pomander", di cui trovi la descrizione a p. 67.

 3. Organizza il "tuo" negozio

Fai come con la dispensa: trova un criterio e portalo avanti con decisione. L'importante è che tutto sia a vista, senza "buchi neri" che fagocitano roba a più non posso. Puoi tenere giacche con giacche, maglioni con maglioni ecc. e creare una sezione "top ten" con le cose che metti di più, pronte per essere indossate in qualsiasi momento, senza perdere tempo a fare ricerche e abbinamenti. Sfrutta al meglio gli spazi, sposta i ripiani, vai in altezza: se hai molti capi corti, monta una doppia asta per appenderli.

> **Grucce, stampelle & Co.**
> Io, che sono di origini toscane, sono abituata a chiamare "grucce" quelle che a Roma tutti conoscono come "stampelle". Naturalmente non stiamo parlando di attrezzi d'ortopedia... ma di porta-abiti, accessori insostituibili di ogni guardaroba. E se a Milano li chiamano persino "ometti" o "appendini", ricordati che sempre di appendiabiti stiamo parlando!

4. Non schiacciare i capi

Una marmellata di tailleur e leggings non è un granché. Per quanto lo spazio sia sempre insufficiente a dedicare sezioni adeguate ai vari capi (tutte sogniamo un piano della Rinascente con relative commesse...), non bisogna strizzarli cercando di avere un guardaroba liofilizzato. L'unico risultato sarà quello di possedere abiti rovinati o, nella migliore delle ipotesi, tutti spiegazzati. Se l'armadio non basta fatti furba e usa l'extension (come si fa per i capelli!): metti i capi che utilizzi di più su uno stand appendiabiti.

5. Taglia le etichette o personalizzale

Con un pennarello indelebile segnala eventuali notizie sul lavaggio o sul modello, con un simbolo o una sigla. Per esempio L per indicare lungo, C per corto: questo vale soprattutto per i capi piegati e ti aiuterà quando devi pescare un modello preciso dalla pila dei jeans. Taglia le etichette troppo grandi ed eliminale sempre dalla lingerie, dai capi stretch, da quelli chiari (d'estate si vedono tante di quelle targhette nella trasparenza dei pantaloni di lino, o della t-shirt di cotone, praticamente si diventa loghi ambulanti...). Fai fuori anche i cappiolini per appendere gli abiti: quando meno te lo aspetti sbucano fuori dal giromanica e sono orribili.

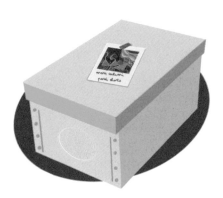

Prova la "regola dei due anni": parcheggia temporaneamente ciò che ritieni di non usare in un apposito contenitore. Fai un elenco di ciò che metti all'interno (magari con un paio di foto). Se una cosa ti serve sai dove trovarla; se dopo due anni la scatola o il baule sono intonsi, tira fuori tutto e abbinalo in modo nuovo, con accessori e stili del momento (compra un paio di riviste per non sbagliare). Se però non prevedi di usare qualcosa in futuro, **pensa a regalare/scambiare il contenuto.**

I cassetti sono le tasche dei mobili e le tasche sono i cassetti dei vestiti. Talvolta cerchi qualcosa in un cassetto e invece è in un'altra tasca.
(dal libro *Pensare confonde le idee*, di Bruno Munari)

🐱 Le zone-accessori

Non mescolare gli accessori con i tuoi abiti come in un frullato impazzito! Crea delle aree *ad hoc*, anche non convenzionali (ho detto addio alla doccia per farne una bella e comoda scarpiera). Usa delle scatole guardaroba con le **rotelle** da mettere sotto il letto o dove hai un buco da riempire. Componi il tuo "puzzle" sfruttando al meglio gli spazi, per esempio il retro della porta dell'armadio.

BORSE. Quelle preziose vanno riposte nell'apposito sacco di panno con la carta velina all'interno per non alterare la forma. Le pochette da sera stanno bene in una scatola: tirale fuori all'occorrenza. Le shopping bag si possono infilare una dentro l'altra; nei modelli a spallaccio inserisci la tracolla all'interno per ricavare spazio. Almeno una volta all'anno proteggi la pelle con una crema idratante specifica. Se non ce l'hai, usa la tua per il corpo (purché sia neutra). Per organizzare al meglio la tua borsa leggi il consiglio a p. 108.

SCARPE. Organizza la scarpiera ideale in base al tuo stile. Se hai prevalentemente scarpe con i tacchi hai bisogno di un certo tipo di struttura, se invece sono piatte, o stivali, devi regolarti diversamente (certo, se hai il 37 sei avvantaggiata rispetto a chi, come me, ha il 41: un paio di anfibi occupa mezzo metro quadrato...). Metti nei ripiani bassi e accessibili quelle che usi di più. La leggenda vuole che vengano riposte dopo ogni utilizzo nella loro scatola originale, sulla quale è spillata una polaroid che ne indica il contenuto. Lo fanno le celebrità ed è un metodo che adottiamo anche noi negli archivi storici, ma non è certo pratico da applicare. Separa con cura i modelli di vernice: lo sfregamento crea strisce difficili da eliminare. Come per le borse, riempi le punte di scarpe e stivali con carta velina.

🙁 mai mettere le scarpe sotto i vestiti: la pelle si schiaccia e si rovina, e tu non le vedi

🙂 le ballerine occupano poco spazio: riponile in contenitori verticali da appendere ai lati della scarpiera

CINTURE. L'ideale è appenderle all'asta delle cravatte (puoi condividerla amorevolmente con il tuo lui o comprarne due...). Meglio non lasciarle arrotolate. Quelle di strass o a catena possono essere riposte nelle scatole.

OCCHIALI. Tieni sia quelli da vista sia quelli da sole in un'apposita scatola con separatori (puoi farla facilmente anche da sola), come quelle che hanno gli ottici. Gli occhiali non invecchiano mai e le montature vintage possono valere molto. Una soluzione più folle ma efficace è stendere un filo di ferro, in uno spazio adatto, sul quale appenderli. Così saranno sempre pronti all'uso!

BIJOUX. Attacca le collane, come fai con le cinture, sia su un'apposita barra sia sulle bamboline con i ganci che tutte abbiamo in casa (sono un regalo classico che prima o poi si riceve). Aggancia gli orecchini a un paralume o fissa un nastro di velluto con due chiodini sul muro. Impila i bracciali su un perno (può essere anche la lattina di una bibita), come fanno i bambini con i cerchietti di gomma. L'ideale resta sempre il mobiletto con i cassetti, per radunare tutto in un'unica sede.

Guanti, cappelli e sciarpe vanno tenuti nell'ingresso per essere pronti all'uso.

83

Il cambio di stagione

Oggi la tendenza è limitare al massimo questa pratica angosciante, un po' per il surriscaldamento globale, un po' perché la moda gioca sempre più con gli strati e la mescolanza di stili, quindi, a parte il bikini e la pelliccia, tutto il resto può convivere tutto l'anno. Ormai il **clima pazzo** ci fa vestire di cotone a Natale e di lana a Ferragosto! Il pane quotidiano sono le t-shirt di cotone (bianca, nera e grigia), che vanno bene sempre. Poi i jeans, passepartout per eccellenza. Ci sono molti altri pezzi che funzionano per tutte le 52 settimane, come i maglioni con lo scollo a V o la zip, le camicie e la giacca di pelle. Ma se non hai a disposizione la reggia di Caserta, ogni sei mesi devi comunque mettere via un certo numero di cose...

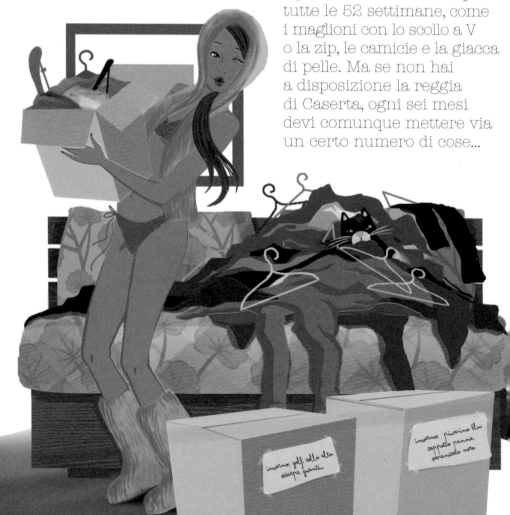

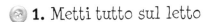

Come fare in fretta e conservare bene

1. Metti tutto sul letto

È il passaggio fondamentale per decidere che cosa resta e cosa va in letargo. Ti divertirai un sacco a scoprire capi che avevi dimenticato di avere, a fare nuovi accostamenti o a dire: ma ero ubriaca quando ho comprato il maglione con l'alce come in *Bridget Jones*?

2. Prova i capi

Fai la "tua" sfilata. Vai veloce con i capi che usi sempre, ma prova tutti quelli che erano parcheggiati da un po'. Sia che tu li debba accantonare (inutile stivare una mini vertiginosa di quando avevi 16 anni e la taglia 38), sia che tu li stia rimettendo nel giro dopo la pausa, avere la certezza che tutto ciò che hai nell'armadio ti sta bene è un grande punto di forza, soprattutto quando sei di corsa (cioè sempre!). Se una cosa è troppo larga o stretta, o la forma non ti piace più, falla sistemare dalla sarta o fallo tu stessa prima di collocarla nell'armadio o nel "parcheggio" stagionale.

3. Niente macchie

Per carità, non mettere mai via capi sporchi. Dopo 6 mesi la macchia sarà difficilissima da rimuovere. Assicurati che sia quello che parte, sia quello che arriva, sia perfettamente pulito.

4. Contenitori ad hoc

Negli States sono dei veri maniaci: esiste una catena di negozi con accessori dedicati al cambio di stagione (guarda il sito www.containerstore.com che non spedisce in Italia ma è di grande ispirazione)! Senza impazzire, assicurati di usare scatole pulite foderate di velina, e sacchi in pvc per i capi appesi, meglio se trasparenti, così vedi al volo il contenuto; devono essere sigillati con grande cura per evitare l'ingresso di ospiti indesiderati che hanno 6 mesi per "papparsi" il tuo cappotto!

5. Attenzione al sole

Niente luce diretta: i capi si scoloriscono e si rovinano. Mai tenerli in un posto troppo caldo o troppo umido. Le fibre reagiscono in modo inaspettato (e non sempre piacevole!).

L'abito da sposa

Hai impiegato mesi a trovare quello giusto. Hai fatto la fame per entrarci. Metterlo via ti fa quasi venire le lacrime ma, tranne che in pochissimi casi, sarà difficile che ti capiti di nuovo di indossarlo. Compra un'apposita scatola, valutando bene le dimensioni. Foderala di carta velina. Riponi separatamente i vari componenti: l'abito, eventuali sottogonne, il velo.

L'arte del riciclo

Tutte noi abbiamo degli "scheletri nell'armadio": molti di loro si possono salvare (anche se alcuni sono davvero off limits, tipo le magliette corte che indossavi a 15 anni dove si vedeva l'ombelico e che devi eliminare per sempre!). La nonna di una nostra collaboratrice, insospettabile **fashion victim** di 103 anni, vedendo in ufficio una ragazza con le décolleté a punta, la guarda e dice: «Cara, sembra che arrivi prima il piede di te, le scarpe a punta vanno decisamente riposte nei periodi in cui non vanno di moda, non lo sai?». Gli anglosassoni, ben noti per il loro pragmatismo, se non usano un capo per 24 mesi se ne liberano (leggi la "regola dei due anni" a p. 80), magari per andarsene a ricomprare, qualche tempo dopo, uno molto simile in un mercatino vintage! Lo chiamano **decluttering**, cioè "togliere quello che ingombra", secondo il principio che usiamo circa il 20% di ciò che possediamo. Rimbocchiamoci le maniche e dimostriamo che questa teoria si può ribaltare, dando nuova vita a quello che era stato lasciato da parte. Non dico che dobbiamo tenere tutto, ma certamente pensiamoci sempre bene prima di eliminare per sempre un pezzo del nostro guardaroba. E se decidiamo di regalare qualcosa, un'azione sacrosanta da fare, deve essere in buone condizioni. Altrimenti meglio trasformarlo. Per esempio una pashmina masticata dal cane diventa un ottimo straccio per lucidare l'argento (consiglio della nostra amica Laura, il cui golden retriever Toto ha fatto fuori la sciarpa preziosissima di una nota giornalista)! A questo punto vale più che mai la legge fondamentale di Lavoisier (scienziato vissuto nella seconda metà del Settecento e considerato il "padre" della chimica moderna): «Nulla si crea, nulla si distrugge, **tutto si trasforma**». Ne deriva che nella moda, come con il maiale, non si butta (quasi) niente. Vai con il riciclo!

MODIFICA E PERSONALIZZA. Va fatto con i vestiti nuovi, tanto più è efficace con quelli ripescati: mettere una camicia della nonna non significa voler dimostrare 80 anni!

TAGLIA, ACCORCIA, SFILACCIA, STRAPPA. Dacci dentro con le forbici (o fallo fare a una sarta!) per adattare i capi alla tua nuova forma fisica o alle ultime mode. Prova ad accorciarli lasciando il taglio al vivo, oppure dai libero sfogo alla fantasia e crea forme strane, taglia una manica sì e una no. Mia madre sforbicia a più non posso: è anche un potentissimo antistress, provare per credere!

TINGI, STINGI, CAMBIA COLORE. Usa il tè per dare un romantico effetto color carne a un capo banale (è un trucco delle ballerine) o per invecchiarlo (vedi p. 67). Se ti sei stancata della classica t-shirt bianca mettila in lavatrice e colorala, ci sono tantissimi prodotti dal risultato garantito. Oppure prova a decorarla alla Pollock: mettiti in giardino o nel cortile di casa e lancia macchie di colore per tessuti sulla maglietta. Rende sempre molto interessante l'aspetto "faccio-l'artista-e-mi-sono-dimenticata-di-cambiarmi"! E poi quando sei nervosa che c'è di meglio di tirare pennellate a caso?

PRENDI CONFIDENZA CON LA MACCHINA DA CUCIRE. Da bambina sicuramente anche tu hai fatto un vestito alla Barbie! Tira fuori lo spirito di allora e mettiti a cucire, per sistemare ma soprattutto per creare. All'inizio sarà dura ma, con un po' di pratica, diventerai un fulmine! La mia amica Beba, che ha manualità zero, fa accessori fantastici con la sua Singer.

INNAMORATI DELLA PISTOLA PER LA COLLA A CALDO. Chiara e Vanessa, due creative del nostro team, sono le regine della colla a caldo: attaccano tutto (incluse le dita!), con risultati sorprendenti. Non esiste una superficie impossibile. Parti alla carica con strass, perline, nastri e applicazioni di tutti i tipi. Usala anche per riparare scarpe e borse.

VAI ALL'ULTIMA SPIAGGIA. Per le cose che davvero non vuoi tenere le strade sono 3: darle a un'associazione benefica (la migliore), venderle su eBay o a un mercatino (la più praticata), organizzare un pomeriggio di baratto con le amiche (la più divertente!).

Il "mitico" baule. È da qui che parte tutto. Diciamo che molto spesso è una scatola brutta e polverosa, o una bustona di plastica piena di roba stropicciata. Ma il termine "baule" fa tanto *Piccole donne* e ci piace! Allora pesca tra le cose che hai messo via, oppure vai a curiosare nei vecchi armadi di mamme, zie e nonne.

LA MAGLIERIA

Un capo di maglia rovinato, soprattutto se in cashmere, non finisce mai!

- SE CI SONO BUCHI: sovrapponi il pezzo a una t-shirt colorata ed esaspera la smagliatura tirando i fili. Un po' punk e un po' grunge, ma sempre di moda.
- Se vuoi RIPARARLO esistono laboratori che rammendano perfettamente, ma attenzione ai prezzi.
- Se ne rimane solo un pezzo da salvare, può diventare il davanti di un CUSCINO. Ne ho comprato uno fantastico a forma di gatto a un mercatino, ricavato da un vecchio pullover arancione. Aveva pure la targhetta con il nome: William!
- Se il capo è veramente distrutto, un'idea da non sottovalutare è quella di realizzare STRACCI per lucidare parquet, mobili in legno, scarpe e argenteria.
- Infine... se hai FIDO o MICIO saranno felicissimi e riconoscenti a vita di avere nella loro cuccia un caldo pezzo che sa di te!
- Attenzione, non dimenticare che se tagliuzzi una maglia devi orlarla con dei grossi punti, altrimenti si disintegra dopo due volte che la indossi.

con le maniche di un maglione puoi fare dei trendissimi guanti senza dita!

Grunge

È un termine che definisce un genere musicale della seconda metà degli anni Ottanta (ma anch'io che ero ragazzina negli anni Novanta amavo molto il grunge...) che si può genericamente classificare come rock-punk. Affonda le radici nella società dell'America nordoccidentale, con Seattle come punto di riferimento. Lo spirito è decadente, il canone estetico si identifica con t-shirt e jeans strappati, maglioni pesanti e scarpe da ginnastica Converse, meglio se vecchie e rovinate.

CAPPOTTI E PELLICCE

Tira fuori i tuoi vecchi capispalla, ma anche le pellicce della nonna e i montoni della mamma. Sono stati "sdoganati" dal loro aspetto un po' rétro e li amano pure le adolescenti. E poi fai così:

• conservali sempre in un luogo FRESCO, sono capi che possono durare per sempre;
• portali da una SARTA: accorciali e stringili. Avrai il cappotto perfetto per la vacanza in montagna senza spendere un patrimonio;
• togli le SPALLINE se vedi che sono esagerate su di te;
• cambia i BOTTONI, nei mercatini ce ne sono di stupendi;
• metti un bordo di pelliccia sul collo e sui POLSI, per un effetto zarina molto intrigante.

BORSE E SCARPE

Ricorda che per una donna è sempre meglio investire in borse che in borsa! Le azioni possono scendere, gli accessori belli non si svalutano mai e sono un ottimo investimento a lungo termine. Ecco qualche idea.

• Per cambiare faccia alle borse non pregiatissime puoi annodare un bel FOULARD al manico, attaccare una spilla grande o un fiocco di tessuto (va benissimo una grossa spilla da balia o la colla a caldo), oppure rivestirla di bottoni di vari stili e misure. Puoi addirittura cambiare il colore e magari fare un effetto sfumato o artistico usando le apposite VERNICI per la pelle.
• Stesso discorso vale per le scarpe: modifica la PUNTA di décolleté, ballerine e sandali aggiungendo un accessorio che luccica o un fiocchetto (possono essere uguali o a contrasto!). Cambia i LACCI delle scarpe stringate: puoi usare i nastri di gros o di satin dei pacchetti, ma devono essere alti almeno 2 cm per consentirti di fare un bel fiocco, in stile vagamente mozartiano.
• Ci sono però anche alcuni pezzi che infestano il guardaroba e dopo qualche anno non vanno più bene. Le borse in SIMILPELLE, per esempio, con un uso intensivo formano pieghe e si posso strappare, come quelle di tessuto non di altissima qualità. In quel caso fai "decluttering" e liberatene!

LINGERIE E CALZE

• Usa i pezzi seducenti del guardaroba in un gioco di sovrapposizioni, mettendo "sopra" quello che normalmente va "sotto". CANOTTA e BUSTIER stanno benissimo su un mini pull di maglia, e la sottoveste sopra i leggings. Molte ragazze francesi mettono reggicalze e coulotte sui jeans!

• Se ti si smagliano le calze in punta tagliale e facci un paio di LEGGINGS; idem per i calzini, che diventano scaldamuscoli.

• Un collant smagliato, tagliato in piccole striscioline, è utilissimo per legare i rami delle PIANTE sul terrazzo (in particolare le rose), che potranno oscillare al vento senza spezzarsi.

FOULARD

Sono sicura che anche tu hai un foulard dalle fantasie improbabili
in qualche vecchio cassetto, è arrivato il momento di reinventarlo.
Il foulard non muore mai e ti può dare tanta soddisfazione.
Oltre all'uso tradizionale puoi indossarlo:

• come un ascot o un cache-col, annodato al collo;
• in testa, anche come bandana chic o come fascia per i capelli;
• al posto della cintura, soprattutto con i jeans;
• d'estate, a mo' di top;
• prima di andare a dormire, avvolto intorno al collo, come ottimo
rimedio contro il mal di gola.

L'ABITO DA SPOSA

È un peccato, ma se hai 5 figli maschi e nessuna
possibilità che qualcuno lo indossi ancora...
tiralo fuori dalla scatola e "dacci un taglio"!
Accorcialo per avere un abito da cocktail
o modifica semplicemente ciò che fa troppo
cerimonia per ottenere un bellissimo
un abito lungo. Elimina, se necessario,
le maniche per semplificare il modello
e tingilo di un color pastello
o addirittura rosso fuoco.

I segreti del foulard

Il foulard è un accessorio multiforme indispensabile nel guardaroba di una donna. La parola deriva dal francese e indica un fazzoletto di tessuto, in forma di quadrato, di seta o lana. L'Italia è il centro nevralgico di produzione, concentrata in particolare nel distretto di Como. Il boom si è visto negli anni Sessanta: annodato in testa e completato da occhialoni da sole, era la cifra distintiva di Jackie Kennedy, ma anche di Grace Kelly, Audrey Hepburn e molte altre celebrities. L'Ascot invece è un foulard da uomo, simile a una larga cravatta. Va messo con un doppio nodo fermato da una spilla. Era molto in voga nell'Ottocento, e un secolo dopo è entrato a far parte della moda femminile. E che dire del cache-col? È una piccola sciarpa di seta, anch'essa da uomo, solitamente caratterizzata da piccoli disegni, da avvolgere morbidamente sul collo indossandola con la camicia aperta, al posto della cravatta. Sono accessori sofisticati e rétro tipici del gentiluomo di campagna: copiane lo stile per ravvivare il tuo foulard.

# Da rubare a lui

Nel baule della nonna c'è da perdersi... ma può succedere lo stesso anche in quello del nonno o del papà! Ancora meglio nell'armadio del **fratello o del marito/ fidanzato**... Introduciti di soppiatto e pesca a piene mani.

CARDIGAN E PULLOVER

Il cardigan da uomo, grande e comodo, è uno dei capi più amati dalle modaiole. Non lo mettere mai con tutona o cose casual, devi trasformarlo in un pezzo da copertina! E poi ricordati che:

• è la soluzione perfetta per le freddolose come me; con cintura in vita e tacchi si adatta alla grande anche all'abito da sera;
• è bellissimo anche sopra la giacca e, sia d'estate sia nelle mezze stagioni, puoi usarlo al posto del trench o del giubbotto;
• per un look da ufficio bon ton abbina il cardigan a un abito in seta o in jersey stampato a tinte forti, accentua il contrasto di colori con un paio di calze coprenti in un tono acceso e completa con una cintura... stenderai tutte le colleghe "rosicone" (ovvero invidiose, in romanesco)!
• i pullover maschili più sono grandi e meglio è, quindi sono fantastici da usare come mini abito sui fuseaux.

CAMICIE

Le camicie, anche quelle vecchissime, vanno riscoperte. I materiali preziosi e colorati di una volta sono irresistibili, ma capita che i modelli siano poco attuali. Reinventale così:

• come abiti da portare con una cinturina in vita, carini all'università, al lavoro ma anche la sera, per un tocco "maschile" molto sexy...
• aperte, sopra shorts e t-shirt durante il giorno, per un effetto molto casual ma intrigante;
• d'estate, con un taglio alle maniche diventano un copricostume pratico ed esclusivo;
• puoi ritagliare solo il colletto e farlo diventare il dettaglio che fa la differenza. Classico, arrotondato, alla coreana... può essere elegante o ironico, basta applicarlo a un tubino nero, ma anche a un dolcevita o a una semplice t-shirt e il gioco è fatto;
• infine puoi recuperare dalle vecchie camicie, magari quelle un po' rovinate, il taschino: può diventare un pratico portamonete o anche una piccola custodia per il tuo iPod. Se il tessuto è stampato è ancora più divertente.

Dal blu di Genova ai jeans

Lo sai che la parola jeans trae origine dal nome della città di Genova? È probabile che il nome derivi dalla frase "bleu de Gênes", ovvero blu di Genova in francese. Già nel Medioevo infatti veniva usata una tela blu per confezionare i sacchi per le vele delle navi e per coprire le merci nel porto. Di seguito lo stesso materiale, un canvas molto resistente, fu utilizzato per realizzare pantaloni da lavoro per gli scaricatori di porto. Pare che anche Garibaldi quando sbarcò con i Mille indossasse un paio di jeans! Nel 1850, a San Francisco, l'imprenditore Levi Strauss con un suo socio lanciò un pantalone a 5 tasche studiato per i cercatori d'oro: nacque così il jeans come lo conosciamo oggi. Simbolo di culture giovanili, entrato di prepotenza come un classico nel guardaroba maschile quanto in quello femminile, è il capo più versatile che ci sia. La moda si diverte a strapazzarlo e lui, stagione dopo stagione, si trasforma in mille modi facendoci innamorare sempre di più. I miei preferiti sono i Diesel: a dispetto del nome sono italianissimi. Renzo Rosso, fondatore e anima del marchio, ha "inventato" strappi e decolorazioni rendendoli irresistibili.

JEANS E FELPE

Qui non c'è bisogno di spiegazioni! I jeans da uomo sono amati da tutte le appassionate di moda, e vanno arrotolati sul fondo. Le felpe devono essere sempre considerate in "comunione dei beni", altrimenti la coppia scoppia!

BLAZER

Non rubare il suo preferito perché rischi il divorzio! Ma se ne trovi uno vecchio, magari blu, mettilo di giorno con maglietta a righe e pantaloni di cotone, e di sera con top scintillante, pantaloni stretti e tacchi vertiginosi.

CRAVATTE

Fai incetta di quelle che i maschi di casa non mettono più. Oppure comprale ai mercatini, quelle con i disegni super kitsch tipo fenicotteri o Betty Boop, che fanno orrore se le immagini con la camicia e la giacca. Ma applicate con un tocco femminile su un maglione o un vestito, per coprire macchie e strappi, o per arricchire un pezzo banale, diventano un motivo decorativo molto originale. Montale intere oppure tagliane una sezione, e fissale con la macchina da cucire (puoi provare anche la colla a caldo).

CALZINI

«Tesoro, mi si sono ristretti i calzini, che hai combinato?». Frase classica! Invece di arrabbiarti, usali tu: i calzini da uomo sono di qualità superiore a quelli da donna. Puoi usarli con stivali, scarponi e anfibi che magari ti stanno un po' grandi, ma saranno perfetti anche per un utilizzo quotidiano. Provali con i sandali, soprattutto se hanno i motivi a rombi, quando vuoi davvero stupire!

PIGIAMA

Quelli di seta che andavano negli anni Sessanta e Settanta, con micro fantasie o motivi tipo foulard, sono elegantissimi! Usa la parte superiore come camicia, o i pantaloni insieme a un top basico e a un blazer.

4.

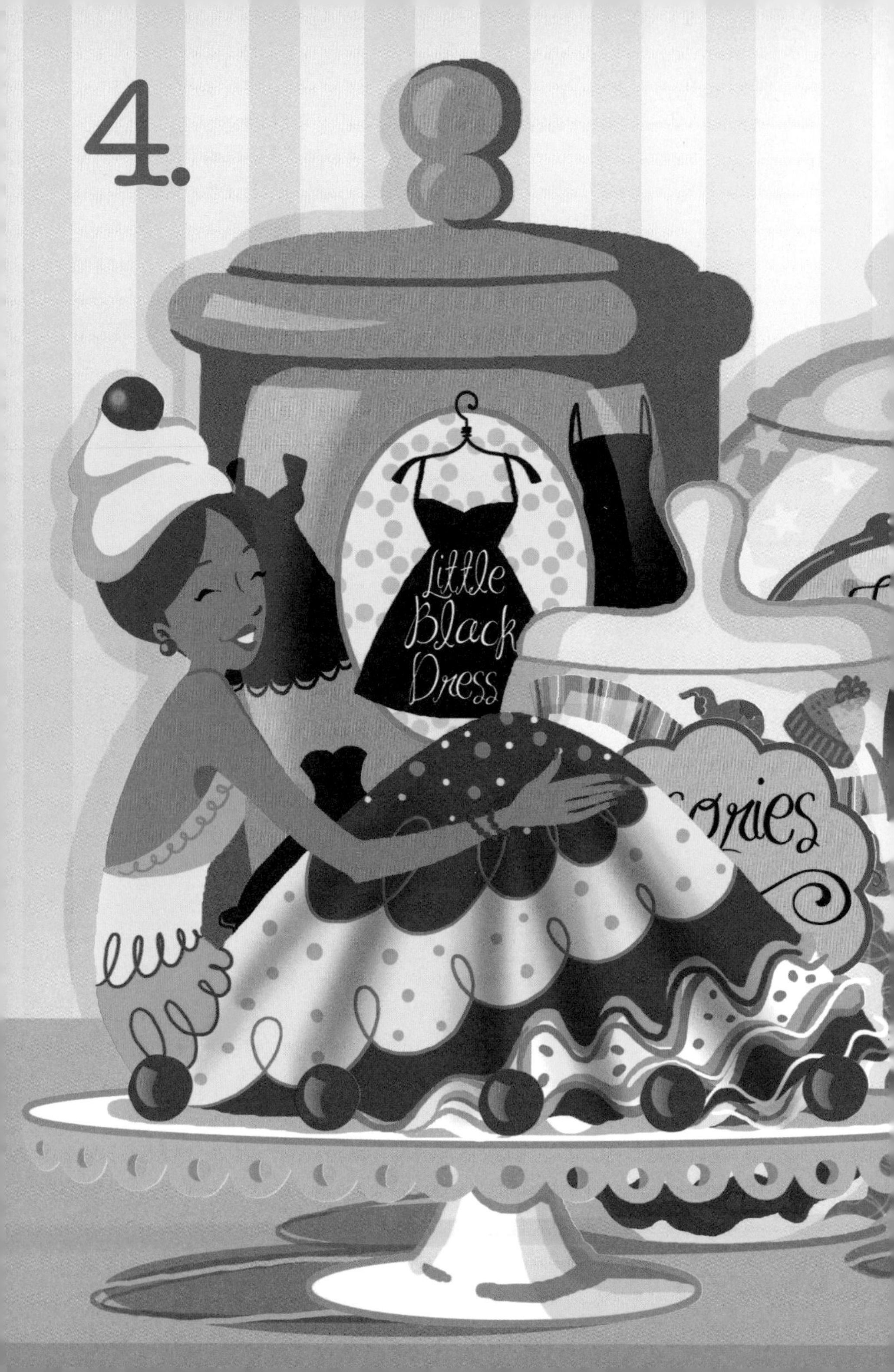

Gli ingredienti dello stile

Ingredienti freschi, buona volontà e creatività: a questo punto nessuna ricetta ti sarà impossibile! Gli accessori sono il passaporto per uno stile vincente. Dall'invito con trappolone dell'amica invidiosa, alla cena-tufo (gergo dialettale tra me e Vale, rende bene l'idea di una cosa pesante!) con i suoceri, fino al tappeto rosso... Punta su pochi pezzi ma belli, conosci la loro storia e i loro segreti per sfruttare tutte le loro potenzialità.

→ 3 cose da evitare

→3 cose da fare

La perfezione: so di aver usato molte volte la parola perfetto fino a qui, ma va intesa come stimolo a fare le cose bene. La perfezione non esiste, e se c'è stanca. Un dettaglio "umano" conceditelo sempre, come un braccialetto brasiliano legato al polso, o una bambolina con il moschettone appesa alla cerniera della borsa.

La "vetrina-ambulante": indossare tutto nuovo di zecca, dalle mutande agli occhiali da vista, andando in giro come il manichino del negozio dove hai fatto shopping. Ci manca solo che suoni l'allarme quando passi accanto ai sensori del codice a barre!

La crisi del "non ho niente da mettermi": non è un problema di guardaroba ma di nervi a pezzi, e capita a tutte (prendiamocela con gli ormoni, tanto loro non possono replicare...). Per uscirne, appellati senza riserve e senza rimorsi al "Santo Basico", un insieme semplicissimo arricchito da un accessorio speciale.

Dissacrare e mescolare: frulla cose chic e cose choc, la pashmina preziosa sui pantaloni della tuta per esempio, come fa la mia amica Romina Power.

Invertire le proporzioni: uno grande e uno piccolo, come maxi pull e leggings, oppure top stretto e pantaloni larghi.

Giocare a zona: nascondi dove serve, esalta dove puoi, valorizza al meglio tutto quello che hai.

CALZE

Nell'immaginario di tutti gli uomini tornare a casa e trovare Sophia Loren che si sfila lentamente le calze come nella scena del film *Ieri, oggi e domani* davanti a Marcello Mastroianni, è il massimo... ma non tutte le calze sono sexy!

Facciamo una carrellata cominciando dal più piccolo, il **fantasmino**: orrendo, preferisco avere le vesciche. Segue il **calzino** e poi il **gambaletto**, molto usato con i pantaloni ma smorza ogni entusiasmo... Meglio le **parigine**, al ginocchio. Poi ci sono le **autoreggenti**, perfette per i vestiti molto stretti in vita così non si vedono i segni. Infine ci sono i **collant**. Sono declinati in ogni variante possibile e svolgono mille funzioni. Alzano, liftano, riempiono (con cuscinetti appositi creano curve abbondanti. Della serie "l'erba del vicino è sempre la più verde" non si capisce perché chi ha un sedere piccolo se lo vuole ingrandire...) e così via. Ci sono anche i **collant spray**: è un prodotto a base di polvere di seta e si elimina con acqua e sapone.

Crescono anche, a sorpresa, le quotazioni dei **collant da uomo**, non solo per i ballerini divini come Roberto Bolle o per le piste da sci. Ma il massimo dello chic per lui restano i calzini rossi con l'abito gessato, come insegna il "Primo ministro della moda italiana" e guru dell'eleganza, Beppe Modenese.

Calze, dalle origini ai giorni nostri

Gli antenati dei nostri calzini risalgono a 2700 anni fa: erano dei gambali di stoffa con suola di cuoio. Facciamo un salto fino al XVI secolo: in Inghilterra nascono le prime calze come le conosciamo noi. L'altra rivoluzione avviene nel 1937 con l'invenzione del nylon, che la leggenda dice sia l'acronimo di "New York-Londra", per indicare che il filo è talmente resistente ed elastico da reggere la distanza tra le due città senza spezzarsi! Le calze in nylon soppiantano quelle più care di seta e arrivano in Italia con gli Alleati alla fine della guerra, scatenando una vera e propria follia tra le donne. Il boom è con Mary Quant che, negli anni Sessanta, lancia la minigonna; la crisi negli anni Novanta, quando si fa largo la moda di girare senza calze anche a - 20 °C. Per fortuna gli stilisti sono rinsaviti e le calze sono tornate alla ribalta in tutte le versioni.

→ 5 consigli per orientarsi nella scelta della calza del cuore

1. A tutto colore

La calza è decisamente l'accessorio giusto per una serata speciale. E può far fruttare un investimento: un abito semplice diventa interessante, cambiando faccia molte volte solo variando i collant! Prova le calze colorate anche nella versione melange.

2. Sovrapponile a strati

Le combinazioni sono molteplici: collant + parigina, sia a tinta unita sia a righe. Doppio collant per le freddolosissime! Collant + calzini per tenere i piedi caldi se indossi gli stivali, vale soprattutto per gli Hunter Wellington e le galosce.

3. Gioca di fantasia

Le varianti sono infinite: bianche da infermiera, a pois, con i cuori, maculate, con gli strass, con una gamba di un colore e una di un altro, nere a rete molto aggressive, coloratissime un po' hippie, ricamate, optical, pesanti e opache o velatissime con piccoli disegni ecc. Attenta alle fantasie grandi, tendono ad allargarsi ancora di più sulla gamba facendo un effetto "insaccato"... Per quanto riguarda le righe, quelle verticali sono perfette; se preferisci quelle orizzontali cerca di prenderle molto sottili.

4. Velate o coprenti? Pro e contro

I collant coprenti hanno innumerevoli vantaggi: non si rompono, sono perfetti se si ha un abitino molto corto perché non lasciano intravedere niente (anche se hai dimenticato di fare la ceretta...). È indubbio però che una bella calza velata rimanga sempre un'icona di eleganza e seduzione.

5. Istruzioni per l'uso

Ovvero: come far durare un paio di collant più di una serata. Innanzi tutto attenta a bracciali e anelli quando li infili. Ho buttato decine di calze per colpa dei ciondoli (oltre che per gli agguati del gatto e le zampate dei cani). Se sei di fretta, usa un paio di guanti. Ricordati di lavare sempre i collant in acqua fredda con sapone neutro.

☺

sono l'acquisto perfetto online: tanto non si possono provare neanche in negozio!

GUANTI

Ci sono modelli geniali per le cellulari-dipendenti, come me, che permettono di digitare anche a temperature polari senza far diventare le dita viola, ma i più affascinanti sono i **guanti da sera**. Facciamoci coraggio e divertiamoci a sfoggiarli alle feste, sia **lunghi** come la meravigliosa Rita Hayworth in *Gilda*, sia **corti**, di **pizzo**, di **rete** o in **pelle** un po' da monella. La piccola follia da provare è metterne uno di un colore e uno di un altro!

CAPPELLI

Le variazioni sul tema meritano un libro a sé. Sono certa che nel tuo armadio non manca un **cappello di lana**, fedele amico dei mesi freddi. Nasce come evoluzione della **toque**, in voga negli anni Trenta: cappellino di maglia, pelliccia o feltro impreziosito con una piuma o un gioiello al centro. Molto simile è la **cloche**, termine francese che significa "campana" e indica la forma con cocuzzolo (si chiama così!) alto e tesa corta. Possiamo divertirci ai matrimoni con la **veletta**, camuffarci con un **colbacco** come una zarina o giocare a fare il maschiaccio con la **coppola** in stile "Padrino". **Sombrero** e **turbante** sono un tantino forzati, il **saturno** è il cappello del Papa (ricorda la forma del pianeta con gli anelli), **cilindro** e **bombetta** ci fanno pensare a un film in bianco e nero. Ma scopriti intrigante con un **basco** indossato sulle ventitré (di traverso), o con un **panama**, divino non solo per andare al mare.

Ballando con... Ridge!

Ho danzato un romanticissimo valzer con Ronn Moss, il mitico Ridge di *Beautiful* e mio carissimo amico, in una puntata di *Ballando con le Stelle*, trasmissione che adoro. Sognavo di ballare il valzer da quando avevo 18 anni, purtroppo mio padre è mancato due mesi prima del mio compleanno e quel ballo è rimasto nel mio cuore. Insomma ero emozionatissima, e Ronn pure, visto che mai e poi mai si sarebbe aspettato di trovarmi lì! Abbiamo volteggiato benino e nessuno ha notato i passi sbagliati o i fuori tempo. Tutti erano entusiasti dei miei lunghissimi guanti di pelle marrone, con sopra un bracciale di strass. I dettagli contano, eccome!

CINTURE

Meglio essere chiare: la cintura va indossata praticamente sempre. Ha tre funzioni fondamentali: sostiene (i pantaloni o la gonna), modella (la silhouette), decora (una fibbia importante a volte è persino meglio di un gioiello). È un ornamento antichissimo: se le donne (e gli uomini) la usano da migliaia di anni un motivo ci sarà! Provale in cuoio, camoscio, vernice, a catena di metallo, ma anche una qualsiasi striscia di pelle o tessuto può diventare una cintura. Scegli un modello colorato o dai riflessi metallizzati per dare un po' di vita al solito abbigliamento nero. Guardati allo specchio e individua dove serve un dettaglio per strizzare o mascherare, e indossala proprio in quel punto.
Ecco 3 idee.

• Mini per segnare la vita, da mettere sui vestiti o con i pantaloni a vita a bassa.

• Maxi per impreziosire un capo basico, bellissima sul tubino o su un miniabito (funziona da bustier, devi trattenere un po' il fiato ma ne vale la pena!).

• Fusciacca morbida, tipo *obi* giapponese, da appoggiare sui fianchi con camicie, tuniche o capi di maglia.

BORSE

Che magnifica ossessione la Borsa! Merita la "B" maiuscola perché è la nostra seconda casa, certe volte anche la prima... Contiene e racconta, è complice e carnefice, ti descrive meglio di tanti aggettivi. Mai trasandata, mai a caso! Può essere la stessa per mesi, non c'è nessuna regola che dice di cambiare la borsa per uscire la sera. Purché non si tratti di un baule o di un modello sportivissimo. Quelle che non devono chiedere mai sono le cosiddette IT BAG, cioè le regine della categoria, icone spesso associate a dive intramontabili. Possederne una è come avere in casa la Gioconda! Conoscerle è comunque un piacere.

• Tra le più desiderate c'è la Chanel 2.55, la borsa trapuntata (in gergo si dice matelassé) che deve il nome al mese e all'anno di lancio: febbraio 1955.
• Poi c'è la Jackie O di Gucci, inutile dire a quale divina faccia riferimento, detta anche Bouvier (con il suo cognome di ragazza) o New Jackie nella versione lanciata nel 2009 da Frida Giannini.
• Una baguette di Fendi è un punto di riferimento per le donne glamour a partire dal 1996, l'anno in cui è stata lanciata.
• Poi c'è Hermès con due capolavori assoluti: la Birkin, dedicata all'attrice e cantante inglese Jane Birkin, e la Kelly. Grace ne ha fatta un'icona di stile. La Kelly nasce come borsa porta sella, in concomitanza con la fondazione della maison Hermès. Nel 1930, con proporzioni riviste, diventa una borsa da donna. Il nome Kelly compare nel 1955 con Grace, principessa di Monaco, che la usò per camuffare la pancia di fronte ai paparazzi: era incinta di Caroline.
• Un accessorio di Louis Vuitton è uno di quei regali che inizi a sognare a 12 anni appena ti tolgono l'apparecchio ai denti: le borse del marchio francese sono un investimento sicuro.

una bella
borsa
è per sempre

Come organizzare la borsa?

Spesso ne porto due. Una piccola, che all'occorrenza si trasforma in borsa da sera, per contenere le cose essenziali, da mettere a tracolla o usare come pochette. E una grande, con tutto il resto, che assomiglia a quella di Mary Poppins (manca che ci infili l'attaccapanni e poi sono uguale a lei!). La riempio all'inverosimile, come il 90% delle donne, ma per non perdere il controllo suddivido le cose in piccoli beauty. E ho imparato da un'amica americana il rito della domenica sera: svuoto tutto, pulisco la borsa, butto le schifezze accumulate e mi preparo per la settimana che inizia.

la "borsa a mano" portata tutto il giorno può infiammare i tendini del braccio!

La variante con la "tracolla"

Fu la geniale Elsa Schiaparelli, nel 1936, a lanciare il secchiello in pelle con la cinghia da appendere alla spalla. Così le mani rimasero libere! Ed è proprio qui la forza di questa tipologia di borsa che, a seconda della dimensione, può essere da giorno o da sera. Dal 2010 sono tornate in voga le tracolline che, per esempio se siamo a un party, ci permettono di tenere in una mano il bicchiere e con l'altra di salutare o mangiucchiare qualcosa.

La tracolla è la migliore amica delle supermamme, per tenere simultaneamente bambinochepiange-chiavidellamacchina-sacchettodellaspesa-guinzagliodelcane, poi rispondere al cellulare, aprire la portiera e prendere un kleenex… La tracolla è lì per te, ti assiste e ti dà una mano (nel senso che te la libera), come dice sempre la mia amica Vale Virgili.

Ricorda però che non slancia la figura e se portata sulla pancia fa effetto canguro. Ahi ahi, che mal di schiena se è troppo carica (ammetto di aver visto nella mia vita più panda negli zoo che borse leggere sulla spalla di una donna…).

STILETTI E BALLERINE

La parola stiletto deriva dal latino (*stilus*= piolo, bacchetta) e indica un'arma simile al pugnale. Molto popolare nel Medioevo, tutt'oggi è considerata un'arma, e va denunciata alla Questura. Sapevi di avere una scarpiera... fuorilegge? Esistono perfino delle accademie per imparare a camminare sui tacchi a spillo (per esempio, clicca su www.stilettoacademy.net).
I tacchi sono una magnifica ossessione delle donne, ma anche degli stilisti che hanno saputo trasformare questo dettaglio in un autentico protagonista. Da 1,5 a 15 cm e più, per modelli con il plateau (rialzo nella parte anteriore). Quello più sexy, vertiginoso ma ancora praticabile senza la certezza di dover aprire un conto dall'ortopedico, è il tacco 12. Più che una definizione è una dichiarazione di guerra. Difficile resistere, più facile del previsto starci sopra in equilibrio, come insegna la mia amica Maureen, che non li toglie nemmeno al mare!

Vai sul sicuro con un paio di décolleté: la variante è la Chanel, inutile dire a chi deve il nome, giova rammentare che è aperta in punta mentre dietro ricorda un sandalo, e ferma il tallone con un cinturino. Davvero ricercata, ti fa prendere punti nella tua classifica personale di stile ed eleganza. Sono tanti i tacchi con cui ti puoi sbizzarrire: a spillo, a campana, a cono o Luigi XV, detto anche "a coda", inclinato in avanti.

Le ballerine risolvono, sempre. Mica poco in un'epoca in cui tutti e tutto creano problemi! Dalla cerimonia al supermercato, dalla spiaggia al cocktail, sono amiche inseparabili. Certo non slanciano, e a volte fanno venire la tendinite: basta provare un mini-tacco di 2 cm per essere chic senza conseguenze. Prova anche a fare le faccende domestiche con le ballerine, una t-shirt e i leggings: vuoi mettere quanto sei più elegante? In ogni caso un paio di scarpe nere piatte di emergenza devono essere sempre con te, in borsa, nella cassettiera dell'ufficio o in macchina.

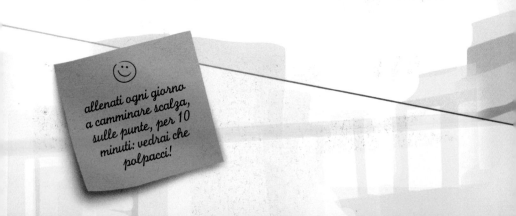

☺
allenati ogni giorno a camminare scalza, sulle punte, per 10 minuti: vedrai che polpacci!

Le più famose sono le "Repetto"
(se vuoi fare l'esperta pronuncia
con l'accento sulla "o" finale!):
nascono in Francia nel 1952
come scarpe da danza ma sono
le "ballerine" per eccellenza,
amate anche da Brigitte Bardot.

L e varianti dello shopping sono due (come
quando fai la spesa): per necessità o per
piacere. Andare al supermercato mentre sta per
chiudere, dopo 10 ore di lavoro, per rimediare
qualcosa per la cena, equivale al giro isterico che
fai se ti riduci all'ultimo per i regali di Natale. Ma
quando vai al mercato con tutta calma, la varietà
di odori e di colori ti trasmette la sensazione di
benessere che ti dà la passeggiata con l'amica
per vedere le collezioni appena arrivate: primizie
fresche e golose come le ciliegie fuori stagione.
Negli States c'è addirittura il "window-shopping",
ovvero lo shopping delle vetrine: si va in giro a
vedere che cosa va per la maggiore, e adeguare

il proprio guardaroba senza spendere un dollaro. Per me invece lo shopping è un'esperienza multisensoriale, fatta di adrenalina, sorpresa, sogno e fantasia. Uno spunto per conoscere meglio la mia città o per scoprirne una nuova. Camminare scorrendo vetrine per ritrovarmi in un parco, mescolare l'arricchimento che solo la contemplazione di un'opera d'arte può trasmettere, con la leggerezza di assaggiare una golosità inedita... Gusta dunque la tua città, scopri che Roma e Milano vanno ben oltre gli stereotipi e, quando puoi, parti per una delle mete più amate dello shopping mondiale: Londra, Parigi, New York, per esempio. Ti suggerisco i miei itinerari, che potrai personalizzare in base alle tue passioni e a quelle di chi viene con te. Verrai proiettata in un frullato di emozioni che fanno molto bene al corpo e allo spirito (magari meno al conto in banca, ma se sei saggia non ti rovini...).

→ **Le 10 regole per "gli acquisti"**

⊙ **1.** Divertimento

Girare i negozi è un ottimo modo per tirarti su da una brutta giornata o per premiarti per un risultato raggiunto.

⊙ **2.** Disciplina

Fissati un budget. Limita i contanti e non mettere ko la carta di credito. Chiedi di tenere da parte le cose fuori preventivo e manda un segnale chiaro a parenti e amiche su quello che desideri (vale specialmente prima delle feste).

⊙ **3.** Accompagnatore

Meglio da sola o con l'amica del cuore (non quella che ti pugnala alle spalle dicendoti che i sandali ti stanno male e poi se li compra lei, visto che erano l'ultimo paio n. 39). Ma non rinunciare allo "shopping di coppia": abitua il tuo lui gradualmente. Comincia con piccoli giri che includano le sue passioni e poi, piano piano, incrementa i negozi di moda, arredamento per la casa, profumerie. L'addestramento dà ottimi risultati!

⊙ **4.** Abbigliamento

Indossa capi facili da togliere e porta con te sempre le calze, sia per provare abiti sia scarpe. Mai con calzature sportive, che "ammazzano" tutto.

⊙ **5.** Tabella di marcia

Organizza il tuo tempo. Se devi fare una serie di commissioni fai un programma. Se invece sei senza orari, goditi il piacere di provare a oltranza...

⊙ **6.** Ricerca di mercato

Non ti accontentare. Qualsiasi cosa tu voglia acquistare non limitarti alla prima che vedi. Confronta prezzi e caratteristiche.

Rossella, una mia cara amica e fedele compagna di shopping, dice sempre: "Non ci si pente mai di aver comprato ma di non aver comprato!".

7. Qualità del prodotto

Tocca bene il materiale. Questo è il passaggio chiave prima di ogni acquisto. Passa con attenzione la mano sul tessuto, stropiccialo, prova l'effetto che fa sulla tua pelle, se è gradevole o punge. Verifica la sua potenziale resistenza, la morbidezza, la consistenza. Leggi bene l'etichetta per conoscere la composizione del capo e le istruzioni per il lavaggio. Un armadio pieno di cose da lavare a secco fa la felicità delle tintorie!

8. Segui l'istinto

Quando arrivi alla cassa ancora piena di dubbi, dopo aver sfinito le commesse e l'accompagnatore, scegli ciò che ti trasmette una sensazione di benessere, a prescindere dalla moda del momento. Punta su un potenziale di felicità. Immaginati che effetto ti farà indossarlo e, se ti vedi più sicura e sorridente nell'idea che ti costruisci di te stessa, procedi all'acquisto.

9. Occhio al colore

Molto spesso le luci al neon dei negozi alterano quello originale. Chiedi di poterti avvicinare a una fonte di luce naturale per valutare il tono reale. Questo è utile soprattutto se devi comprare gli accessori o dei coordinati.

10. Goditi il piacere

Hai un sacchetto nuovo fiammante tra le dita. Assapora l'eccitazione che ti dà il contenuto: qualcosa di bello è lì per te! Proprio come fa Becky Bloomwood, la protagonista della saga *I love Shopping* di Sophie Kinsella. Una lettura imperdibile!

10 bis. Conserva lo scontrino

Si cambiano le case, le macchine e perfino i mariti. Figurati se non si può cambiare un acquisto sbagliato!

Lo sai che con due ore di passeggiata facendo shopping bruci circa 320 calorie (il tempo vola e neanche te ne accorgi, mentre sul tapis roulant non passa mai...)? Cambiarsi in un camerino invece ne fa bruciare 3 al minuto. Ecco perché la pausa-dolcetto quando sei in giro ci sta benissimo: hai consumato e ti puoi godere un piccolo piacere senza sensi di colpa!

Regali da fare e da ricevere

Per me Natale dura tutto l'anno. Non smetto mai di cercare piccoli doni per le persone care, che metto da parte per le varie ricorrenze. Anche se spesso non resisto e li regalo molto prima del dovuto. Ma come succede con l'ovetto Kinder, tante volte vale più l'**effetto sorpresa** dell'oggetto in sé. Drizzo le antenne per captare i desideri, ma talvolta memorizzo nell'agenda del cellulare frasi criptate tipo "C.T.S. X F." che significa "comprare tuta da sci per Francesco" (magari lo registro a marzo in una data dell'ottobre successivo, e quando lo rileggo mesi dopo vado in crisi perché mi sono dimenticata la sigla) o "P.B.T. X F." ovvero "prenotare biglietti teatro per Federica". Panico: e se il teatro fosse per Francesco e la tuta per Federica? Va meglio quando uso un **quaderno**, così faccio meno confusione. Mai e poi mai però faccio un regalo a caso. Piuttosto prendo un abbaglio toppando completamente i gusti, ma almeno ho cercato di scegliere una cosa **personalizzata**. I pacchi standard e asettici, così come quelli riciclati con il fiocco pieno di rughe peggio di un bulldog, sono comunque sbagliati.

→ 10 regali che fanno sempre piacere
(lascia con nonchalance questa pagina in bella vista
al tuo lui, dopo aver sbianchettato questa frase)

BIJOUX E GIOIELLI. Non importa che siano preziosi ma devono essere simbolici, rappresentare un legame tra chi dona e chi riceve. Charms divertenti o significativi da attaccare a bracciale o collana, orecchini buffi e tintinnanti, o un girocollo minimalista: dipende dai gusti. L'anello però batte tutto! Dalle amiche, dalla famiglia e ovviamente dal partner. Il massimo dell'adrenalina è il sacchetto celestino di Tiffany, anche se dentro c'è una cosa piccola piccola e per vederla bene devi usare la lente d'ingrandimento.

PASHMINE. Anche queste non stancano mai. Primo: perché sono delicate e rischiano di avere a volte un ciclo di vita breve (anche la mia maremmana ne ha fatte fuori un paio masticandole con perizia). Secondo: perché ci sono dei colori bellissimi o delle fantasie che da sola magari non compreresti. Terzo: perché occupano pochissimo spazio.

UNA BELLA BORSA. O un paio di stivali... anche se ne abbiamo già 5000, sono due cose che stimolano l'ormone della felicità.

UN PULLOVER. Meglio se maxi (a volte la taglia inganna). È sempre un bellissimo regalo che simboleggia coccole e tenerezza. E ogni volta che lo indossi ti fa pensare a chi l'ha scelto.

mai fare un dono senza biglietto

più un regalo è semplice, più il pacco deve essere bello

E sempre e comunque... fiori. Rose rosse od orchidee screziate, peonie rosa o amarilli bianchi, e ancora mazzolini di campo, violette profumate, seducenti gardenie, gigli eleganti. Quando non sai che cosa regalare, dillo con un fiore!

QUALSIASI COSA DI VICTORIA'S SECRET: già la busta è un regalo! È in genere un pezzo di lingerie, anche se originale o estremo, che si può sempre indossare con ironia, come fanno le regine del burlesque.

PIUMINI E PIUMONI. I primi, da indossare: scegliere sempre un colore vivace o all'ultimo grido. Quello nero classico ce l'abbiamo già tutte. Il piumone invece è per il letto: scalda con affetto e "veste" la camera.

UN PROFUMO: che sia quello preferito o uno nuovo da provare. Le essenze suscitano emozioni profonde, stimolando i sensi. Gradite anche le fragranze per la casa, non quelle chimiche ma quelle con i bastoncini, oppure gli incensi, che creano atmosfera e, se ci sono dei quattrozampe o dei fumatori, coprono tutto.

TRUCCHI, CREME E SMALTI. Sono i "balocchi" delle donne. È come ricevere l'ultimo modello di Barbie o il Lego appena uscito. Quelli nelle edizioni speciali o limitate fanno girare la testa!

LIBRI. E ancora libri. Grandi, piccoli, medi... quanto mi piacciono! Fanno compagnia, fanno viaggiare con la fantasia, aprono la mente, fanno ridere, piangere, sognare. E anche se non li leggi, arredano. Quelli giganti sono davvero decorativi. Io ne regalo a quintali soprattutto alle mie amiche, Barbara in testa.

BUONI REGALO E REGALI BUONI. È bellissimo regalare un momento speciale (cena, massaggio, teatro, mostra...) alle persone a cui vuoi bene. Ma è ancora più bello e gratificante condividere il regalo con una terza persona, facendo una donazione a un'associazione benefica. Ne conosco molte, ma segnalo Care&Share, a cui sono particolarmente legata. È una onlus che opera in India: il nome significa letteralmente "prenditi cura e condividi". Ci sono migliaia di bambini che hanno una vita migliore grazie ai piccoli gesti di tanta gente generosa. Riceverai subito la foto di ciò che viene fatto, anche con uno striscione se lo desideri, dedicato alla persona in nome della quale fai la donazione. La mia amica Nancy Brilli mi fa spesso delle commoventi sorprese per il mio compleanno, regalando a nome mio cose utili, ma anche giochi e vestiti, ai bambini di Care&Share. È un modo concreto di esprimere il nostro volerci bene (puo farti un'idea dell'associazione guardando il sito www.careshare.org).

 Lo shopping online

È la nuova frontiera dello shopping. Con (molti) pro
e (qualche) contro. Rispetto a quello tradizionale hai
l'immenso vantaggio di poterlo fare dove, come e quando
vuoi. Ma bruci molte meno calorie (30 all'ora contro le 160
di quello "originale"). A meno che tu non faccia schizzare
i battiti cardiaci con una **"flash sale"**, in cui devi essere
velocissima per aggiudicarti l'affare!

5 motivi per provare lo shopping online

🔘 1. La varietà dei prodotti

Puoi comprare cose ingombranti, strane o difficili da reperire. Su internet trovi qualsiasi cosa ti venga in mente: per esempio se ad agosto ti viene un'irrefrenabile voglia di possedere un paio di "ciaspole", non dovrai andarle a ritirare al Polo Nord, ma ti arriveranno direttamente sull'amaca... al mare!

🔘 2. Il risparmio di tempo

Lo shopping online è sempre aperto, 24 ore su 24, 7 giorni su 7! È una fonte continua e illimitata che risolve la giornata quando si hanno 3000 cose da fare. Niente code né multe... Negli States quasi tutte le donne manager lo usano per la fare la spesa e ora anche da noi si può riempire la dispensa con un clic.

🔘 3. La comodità

Internet è il Paradiso delle pigre (si compra acciambellate sul divano come un gatto, se l'acquisto è speciale ci scappano pure le fusa!) ed è una felice parentesi di relax anche per le iperattive come me. È come il cibo "take away": devi solo sforzarti di decidere che cosa vuoi, dal cinese alla pizza, e in un attimo la cena si materializza nelle tue mani, senza toccare un fornello.

🔘 4. Saldi tutto l'anno

Nel web tutto è in offerta speciale, anche i fidanzati (nei siti di incontri li trovi in promozione e pure in affitto). Torniamo alla moda: clicca sui negozi virtuali delle grandi griffe per prenotare modelli esclusivi, naviga nei grandi magazzini a caccia di proposte, fai affari alle aste di eBay...

🔘 5. La velocità

Basta un mezzo elettronico (pc, cellulare o tablet), una carta di credito (meglio se del tuo lui...) e il sito giusto per avere di tutto in 5 minuti. L'ideale per fare un regalo last minute spedito direttamente al destinatario, per comprare i biglietti per il teatro o per il cinema nella pausa caffè.

occhio alle truffe

tempo ottimizzato e acquisti intelligenti

Siti da provare almeno una volta nella vita

www.net-a-porter.com È "il sito", la prima tappa nella spasmodica ricerca di affari griffatissimi. Abiti, accessori, gioielli, il tutto diviso per categorie, per marchio, per tipologia di occasioni. Ma anche notizie sugli stilisti e sulle tendenze della stagione. Se vuoi vedere ciò che compri "dal vivo", una sezione è dedicata ai video delle sfilate.

www.luisaviaroma.it È considerato il miglior sito per lo shopping online d'Italia.

www.yoox.com È perfetto per accessori e ultime collezioni, ma ci sono molti oggetti anche di design in edizione limitata.

www.ebay.it È la mecca dello shopping online, trovi qualsiasi cosa ti venga in mente, dagli zoccoli olandesi al dentifricio alla rosa!

www.asos.com Ovvero di tutto e di più! Il motto "spend less, look better" la dice lunga.

www.colette.com Il tempio parigino della moda.

www.victoriasecret.com Mi domando davvero come si potrebbe vivere senza!

www.tiffany.com Qui le parole non servono!

www.urbanoutfitters.com È il sito del famoso negozio americano, con una selezione di capi acquistabili solo online.

www.hunter.com Sito ufficiale dei fantastici stivali, così hai una scelta di combinazioni molto più vasta di quella che troveresti in qualsiasi negozio. E poi arrivano in due giorni!

www.douglasshop.it Vende profumi, trucchi e tutto quanto ti fa bella.

www.etsy.com Per regali originali: oggetti di design da tutto il mondo.

www.lesabre.com Se vuoi dare un tocco originale alla tua cucina: sono le posate preferite della mia amica Isa (quella che odia la campagna!).

www.pineidershop.com Per ordinare la tua carta stampata e personalizzata nell'e-shop di un negozio di lunga tradizione.

www.isagi.it Solo pezzi unici: le mie magliette preferite ma anche top e abiti realizzati con cravatte vintage.

5 Shopping club online e Flash sales:
www.venteprivee.com
www.buyvip.com
www.privalia.com
www.hautelook.com
www.ruelala.com

 # I miei blog

www.theblondesalad.com La protagonista è Chiara Ferragni. Ci conosciamo e sono una sua fan. Imperdibile.

www.thesartorialist.com
Il numero uno.

www.annadellorusso.com
«Ho due appartamenti: uno per i vestiti», dichiara Anna Dello Russo. Come non farle visita?

Scrivi qui sotto quali sono i tuoi blog preferiti

....

....

....

....

....

 Milano

La prima volta che sono stata a Milano ero nella pancia
di mamma. L'aria delle passerelle l'ho respirata già lì dentro
(e nel 1978 c'era anche meno smog!). Il mio ricordo più
forte è legato alla Madonnina: l'ho scoperta intorno ai
3 anni, l'ho vista brillare una notte nel buio e sono rimasta
ore a contemplarla dalla finestra di casa. Volevo a tutti
i costi portarla con me a Roma. Milano è davvero la mia
seconda città. Ci sono venuta decine di volte al seguito
dei miei genitori, giocavo nel **backstage** con le Barbie,
mi sembrava di ripetere in piccolo quello che faceva mia
madre vestendo le modelle. Ora il lavoro occupa quasi tutta
la mia giornata. Ma appena mi salta un appuntamento,
nel puzzle complicato di incastri cui tutti ci sottoponiamo
per sfruttare ogni attimo della giornata, mi "fiondo" per
strada. Sì, perché Milano è la **capitale mondiale** del
prêt-à-porter, non ce lo dimentichiamo. Trovi il meglio del
Made in Italy, tutte le griffe internazionali, concept stores,
design d'avanguardia e molto altro ancora. Chissà perché
noi italiani non pensiamo quasi mai di trascorrere un
weekend di shopping meneghino. Sono più furbe le russe,
che sfilano in via Montenapoleone e saccheggiano qua e là.
Milano è la moda. Se vuoi farti una carriera in questo
settore, come stilista o giornalista, modella o truccatrice,
devi venire qui. La settimana della moda è come il mondiale
di calcio: le griffe si susseguono in un calendario ricco
di sfilate, eventi e presentazioni. Le strade trasudano
bellezza, di tutti i generi. Un ottimo motivo per venirci
a fine settembre (collezioni estive) o a fine febbraio
(collezioni invernali). Imperdibile anche la **settimana
del design**, il cosiddetto Salone del Mobile, che si svolge
ogni anno ad aprile.

IL QUADRILATERO DEL LUSSO: è una sorta di quadrato virtuale, formato da via Montenapoleone, via Manzoni, via della Spiga e corso Venezia. All'interno racchiude altre strade ugualmente chic. Ci sono praticamente TUTTI. In via Sant'Andrea al n. 8 trovi **Banner**, vetrina di riferimento internazionale di nuovi talenti e marchi contemporanei. Lo spazio è realizzato dall'architar Gae Aulenti, così come **Biffi**, della stessa proprietà di Banner, che è la meta-moda imprescindibile delle milanesi, anche se è fuori dal quadrilatero (corso Genova 6). Se hai bisogno di zuccheri dopo aver visitato senza fiato 30 negozi uno più bello dell'altro, fermati da **Cova:** È la storica pasticceria fondata nel 1817 in via Montenapoleone 8. Una mini sacher è quello che ci vuole per ripartire! Il mio ristorante del cuore è in via Borgospesso 12: **Bice**, un posto mitico amato da tutti quelli della moda e non solo. L'"orecchio d'elefante" (maxi cotoletta) è il suo cavallo di battaglia. Per la pizza in centro si va al **Paper Moon**, in via Bagutta 1. Il giapponese fashion è **Nobu**, nel grande spazio **Armani** in via Manzoni, tempio dello shopping che merita una visita.

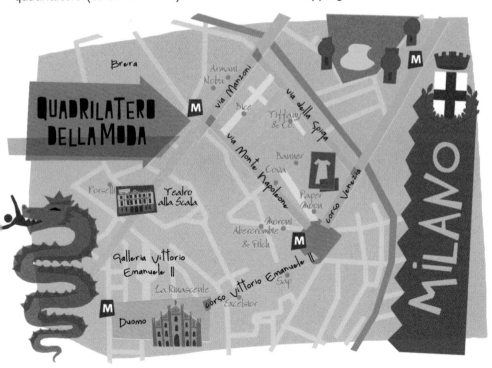

VERSO LA RINASCENTE: piazza San Babila, corso Matteotti e corso Vittorio Emanuele II sono pieni di negozi da vedere. Qui per esempio hanno aperto la prima filiale italiana **Gap** (corso Vittorio Emanuele II 24) e **Abercrombie & Fitch** (corso Matteotti 12). Era la mia zona da teenager, che però mi affascina tuttora. Quando arrivi alla Rinascente ti senti come Alice nel Paese delle Meraviglie. Lusso e gadget, bellezza e novità: tutto ti attrae come in un fantastico lunapark. Non perdere la vista del Duomo dall'ottimo ristorante-bar all'ultimo piano. In corso Vittorio Emanuele al n. 4 c'è il favoloso ed enorme concept store **Excelsior**: moda, fashion & food. Non lontano trovi **Peck** (via Spadari 9), una sorta di "Rinascente della gastronomia" (io vado pazza per il suo roastbeef). Da qui vai a visitare la Scala, merita il viaggio. Prima di partire cerca di acquistare i biglietti per uno spettacolo. Se vuoi un souvenir o un regalo perfetto per gli appassionati di opera e danza, fermati a **La Scala Shop** (piazza della Scala 5). Alle spalle, in piazza Paolo Ferrari 6, c'è **Porselli**, la mecca delle ballerine. Per un fantastico gelato a due passi dalla Scala, in via Santa Margherita, ecco la gelateria **Grom**. Tornando verso piazza del Duomo, a fianco della cattedrale nella piccolissima via Marconi ci sono i tavoli di **Giacomo Milano**, per un pranzo che sa di Toscana (la terra delle mie origini). Verso San Babila, in via Larga, fai tappa nel nuovo store di **California Bakery**, inconfondibile

per il suo stile, a metà tra la "cafeteria" americana e il bistrot francese. Arrivi quindi in corso Matteotti: al n. 14 entra da **Moroni Gomma**, punto di riferimento per acquisti originali e utili, spesso di design, dalla tavola ai complementi d'arredo: impossibile annoiarsi.

PASSEGGIARE A BRERA: questa è la mia Milano di oggi. Il nostro quartier generale delle sfilate è lo strepitoso Piccolo Teatro Studio, in via Rivoli 6, voluto dal maestro Giorgio Strehler come sede sperimentale per una nuova forma di teatro. È una struttura affascinante e camaleontica, con il pubblico al centro. Per le nostre sfilate si è trasformata dal 1999 in set differenti e memorabili: da piscina a superficie lunare, da prato fiorito a libreria. Uno spettacolo al Piccolo Teatro Studio va visto almeno una volta nella vita! E poi, i fiori più belli e freschi di Milano, soprattutto le rose che arrivano direttamente da Sanremo, sono da **Mastrapasqua** in via Rivoli, proprio accanto al Piccolo Teatro Studio (il fascio di rose bianche che regalo a mia madre alla fine della sfilata viene sempre da lì). A questo punto puoi goderti l'atmosfera di Brera e dintorni, molto diversa da quella del quadrilatero ma non per questo meno attraente, anzi. Gli studenti dell'Accademia di Belle Arti (visitare la **Pinacoteca**, in via Brera 28) già dall'Ottocento lo hanno trasformato in uno dei quartieri più caratteristici, dove si respira ancora un'aria bohémienne. Un must per artisti e creativi è il **Colorificio Pellegrini**, in via Brera 16. La zona è famosa anche per il mercatino che si tiene ogni terza domenica del mese in via Fiori Chiari e quello stagionale dei fiori davanti alla chiesa di San Marco, e per i caffè del dopo teatro...

VIA MOSCOVA & DINTORNI: al n. 60 c'è **Gallia e Peter**, la più antica modisteria della città (fondata nel 1930), dove trovi cappelli pronti di tutte le fogge o puoi farti fare il tuo sbizzarrendoti con la creatività. In via Solferino c'è la sede del **Corriere della Sera**, un pezzo di storia del nostro Paese: merita uno stop. Al n. 3 guarda **Merù**: gioielli tenerissimi, da amiche, o da teenager, in smalto o combinazioni di materiali diversi. Anche questo è un posto dove vado sin da bambina. In via Ponte Vetero 17 ecco **Fabriano**, per la carta (divina)

con la filigrana e tanti oggetti per la scrittura. In via Brera 2 scopri **Cavalli e Nastri**, uno degli angoli vintage migliori della città. In via Turati, se sei stanca, fai sosta da **Bianco Latte**: squisitezze per uno spuntino, un pranzo veloce, una merenda ristoratrice e regalini per tutti i gusti.

CORSO GARIBALDI & CO.: gira in via Pontaccio e Foro Buonaparte per scoprire altri angoli imperdibili. Dopo aver bevuto un frullato di papaia da **Fruteiro**, vai nel vivace corso Garibaldi. Non lontano c'è **10 Corso Como**, più che un concept store è un'istituzione. La sua ideatrice, Carla Sozzani, raduna qui il meglio in circolazione, dalle edizioni limitate di stilisti internazionali a oggetti, dischi e libri. Al primo piano la galleria d'arte ospita mostre temporanee, e puoi fermarti per una pausa al caffè o al ristorante.

DA NON PERDERE: il *Cenacolo* di Leonardo, l'affresco che ha ispirato *Il codice da Vinci* di Dan Brown, si trova nell'ex refettorio di Santa Maria delle Grazie (prenota in anticipo la visita tramite il sito del Cenacolo). Poi vai a vedere il Castello Sforzesco, una mostra alla Triennale e il nuovo Museo del Novecento in piazza del Duomo.

ALTRE ZONE SHOPPING Porta Ticinese, d'avanguardia. Paolo Sarpi, la China Town milanese.

VERDE E SPORT: per gli amanti della corsa come me o per una bella passeggiata ci sono i **Giardini Pubblici** di porta Venezia, ex sede dello zoo dove andavo tutti i pomeriggi a trovare l'ippopotamo Pippo. Quando hanno chiuso lo zoo ho fatto carte false per portarlo via con me, ma non ci sono riuscita, era un tantino ingombrante e mi avrebbero fermata subito... In primavera poi i Giardini si animano dei mille colori di **Orticola**, una mostra mercato di fiori e piante straordinarie. Sono a un passo dal Quadrilatero, per riprendere fiato. Il **Parco Sempione** è il polmone verde per grandi e piccini. Le palestre pullulano: a Milano tutti sono in forma.

MERCATI: via Papiniano martedì e sabato per vestiti, scarpe, tessuti, cibo e piante. **Via Fauché**, ogni sabato per tutta la giornata: mercato molto amato dai modaioli. **Mercatone del Naviglio Grande**, ogni ultima domenica del mese per l'antiquariato. E poi gli **O bej O bej**, la famosa fiera che si svolge intorno al Castello Sforzesco dal 7 al 10 dicembre, nel ponte di Sant'Ambrogio (in cui trovare un milanese a Milano, a parte alla serata della prima alla Scala, è più raro di un bel paio di moonboot all'Equatore). Beh, andiamoci noi e facciamo incetta di decorazioni natalizie, e non solo.

 # Roma

Qui sono sfacciatamente di parte. Se leggi Roma al contrario viene fuori **Amor**. Beh, è poca cosa rispetto a ciò che provo per questa città. Ok, come tutto anche lei ha pregi e difetti, ma è il posto più bello del mondo. Non c'è niente da fare: qui non smetti mai di **incantarti** e di fare la turista. Hai finito un appuntamento all'Eur? Per tornare verso il centro passi dal Circo Massimo e Caracalla... Sei nel rione Monti (la nuova zona di tendenza) a fare shopping? Dai, basta affacciarti su via dei Serpenti e ti trovi davanti il Colosseo. E la lista è infinita... Bisogna però orientarsi nel labirinto di strade e di cose da fare.

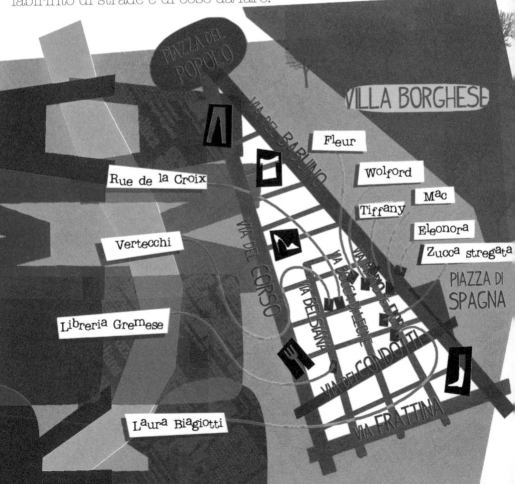

→ A spasso per la capitale

ROMA NUN FA' LA STUPIDA STASERA: la città vive 24 ore. E di notte è bellissima! Comincia il tuo tour godendoti la vista su una terrazza panoramica: al tramonto l'oro si mischia al rosa come in un dipinto, uno scenario perfetto per l'aperitivo, come nel caso dell'**Hotel Hassler** e dell'**Eden**. Con atmosfera più rilassata, ma di grande fascino perché è l'unico esempio autentico di stile Déco a Roma, c'è l'**Hotel Mediterraneo**, in via Cavour 15. È a un passo dalla Stazione Termini, dove trovi negozi per tutti i gusti e le esigenze aperti fino alle 22. Poi ti consiglio una bella passeggiata sotto le stelle, anche per fare una "ricognizione" dei posti in cui vorrai andare il giorno dopo. Così vai a colpo sicuro, senza perderti nel caos dei turisti.

IL "CENTRO": tutte le città hanno il loro centro, ma a Roma questo termine indica con estrema precisione la zona denominata del Tridente (via di Ripetta, via del Corso e via del Babuino) e le strade limitrofe. L'arteria che fa battere lo shopping comunque è via Condotti, con le griffe italiane e internazionali. Per le maniache compulsive di scarpe come me, tappe da giramento di testa sono **Jimmy Choo** al n. 68A e **Stuart Weitzman** al 27A. Tutte le traverse qui brulicano di moda, naturalmente per campanilismo cito via Mario de' Fiori dove al n. 26 trovi lo store **Laura Biagiotti**.

Ci sono tanti marchi ma anche negozi alternativi come **c.u.c.i.n.a.** (al n. 65) con oggetti per i fornelli, la **Zucca Stregata**, con capi e gadget pieni di disegni divertenti che piacciono ai bambini e alla mia amica di Palermo, Susi (se non lo cito mi uccide), e le meravigliose calze **Wolford** (n. 67). Tra le vie laterali merita un giro via Bocca di Leone, dove al n. 46 trovi **Fleur**, un "luxury living" concept store con oggetti molto pregiati e candele profumate per le quali vado pazza (sono un regalo fantastico). Nella parallela via Belsiana, al n. 22, ecco la piccola ma fornitissima **Libreria Gremese** con tanti titoli dedicati a moda, ballo e cucina (le mie passioni). All'incrocio con via della Croce c'è **Vertecchi** (al n. 70), il mio "pusher" di biglietti d'auguri, materiali bellissimi per fare i pacchi e oggetti per i party. Accanto, al n. 73, **Rue de La Croix**, un buchetto con bijoux divertenti tra cui quelli francesi "Les Néréides", senza bisogno di andare a Parigi! Via del Babuino ha queste soste fondamentali: **Eleonora** (n. 97), un concentrato di stile, **Gente** (n. 81), **Mac** per i trucchi (n. 124) e **Tiffany** (n. 118).

PIAZZA DI SPAGNA: è una meta obbligata (da provare un tè o il brunch domenicale da **Babington's**), mentre piazza San Lorenzo in Lucina è la mia preferita. Qui ci si siede da **Ciampini** a osservare, come se tu fossi a teatro, chi c'è in giro, mentre ti gusti uno dei gelati più buoni della capitale (il marron glacé è da svenire!). L'ultima apertura è il megastore di **Louis Vuitton**, con tanto di cinema: un tempio imperdibile. Una sosta da

Nespresso per fare il carico di cialde e giù per Campo Marzio, con negozietti piacevoli e luoghi storici come **Tebro** (biancheria per la casa dal 1867, in via de' Prefetti 48), con di fronte l'**Enoteca Achilli** per un cin-cin di qualità. In via Campo Marzio 42 entra da **Bagagli**, fondato nel 1855, con oggetti per la casa, porcellane e cristallerie. Al n. 1 guarda **Cenci** (griffe per lei e lui). Poi vai al Pantheon e arriva fino a via del Governo Vecchio, dove trovi quello che a Roma chiamano l'usato ma altrove è il... vintage. Al n. 108 c'è **Tempi Moderni**, il top, e, nelle vicinanze, il **Caffè della Pace**, pieno di ragazzi. Poi torna verso Campo dei Fiori e goditi tutti i negozietti.

LE GALLERIE SORDI (E LA DOLCE VITA): sono il mio "ombelico" e meritano uno spazio a sé. Ci vado quando posso perché trovo tutto quello che voglio, fino alle 21. E se piove sono una salvezza! Le gallerie sono di fronte a piazza Colonna, che merita una visita. Dalla parte opposta c'è la chiesa di Santa Maria in Via, dove insieme a migliaia di romani vado a dire una preghiera e a bere l'acqua benedetta. Ci sono una gigantesca **Libreria Feltrinelli**, **Zara** (di fronte, nell'ex Rinascente, ci sono altri 4 piani di questa griffe low cost), **Tech it easy**, dove compro regali hi-tech e molti spazi di accessori e moda. Uscendo puoi tornare in via del Corso (dove trovi molte catene tra cui **Gap**, **H&M** e **Mango**) o risalire per via del Tritone. Io scelgo questa e mi fermo al n. 102 da **Paolo di Pofi**, il salone di bellezza delle star da Monica Bellucci a Uma Thurman. È la mecca delle extensions, dei tagli moderni e femminili: il trucco di Claudio Favoino ti fa sentire una diva pronta per un giro in via Veneto, il set della *Dolce Vita* che non spegne mai i suoi riflettori. La serata da sogno si corona con una cena da **Filippo La Mantia**, cucina siciliana rivisitata e divina (niente aglio e cipolla, il bacio romantico dopo il dessert è salvo!), all'**Hotel Majestic** (via Veneto 50).

MONTI E DINTORNI: è il "Village" di Roma, ma soprattutto la meta preferita delle fughe che ogni tanto riesco a fare con mia madre. Se il centro va benissimo in coppia, qui ci

devi venire con un'amica o qualcuno davvero curioso e appassionato di moda e design. Le strade in cui "colpire" sono via dei Serpenti, via Panisperna e via del Boschetto. Quest'ultima va vista negozietto per negozietto, cominciando da **Fabio Piccioni** al n. 148, dove verrai stordita da una miriade di bijoux d'epoca e gioielli d'argento stupendi, molti usati anche nei film. Un suo collier, un paio di orecchini o una spilla rendono qualsiasi mise speciale. Salendo trovi antiquari, mobili Déco, abiti etnici e vintage o di giovani designer, e una bellissima libreria antica. Adesso vai in piazza dell'Esquilino, dove resterai senza parole ammirando la maestosità della basilica di Santa Maria Maggiore. Al n. 29 trovi **Coppelia**, paradiso della danza, con pezzi tecnici che puoi mescolare con creatività al tuo

guardaroba. Io mi incanto di fronte alle scarpette di gesso, e alle bimbe che le provano con serietà e un carico di sogni. Prendi via Merulana e vai da **Adele**, al n. 68: il suo "antro" si chiama **Lo Specchio delle Allodole** ed è pieno di biancheria antica e oggetti d'antiquariato. Ma non finisce qui. Fermati da **Flowers & Fruits**, al n. 64: è un meraviglioso negozio di fiori e non solo, straordinariamente scelti ed esposti. Se sei una fan di Steve Jobs vai da **Futura Grafica**,

al n. 245, l'eden degli appassionati Apple. Davanti c'è **Panella**, al n. 54, l'estasi dei golosi! È uno dei forni più antichi di Roma, all'aperitivo si riempie di gente che assaggia pizza croccante, mini porzioni di curry, frittini...

PARIOLI: trovi boutique chic e posti dove fare buoni affari. Vai in piazza Buenos Aires (detta anche "piazza quadrata") per un giro nei negozi di via Po. Lo stop goloso si fa da **Natalizi**, al n. 124, storico catering e bar pasticceria. Sono cresciuta con le loro pizzette e i rustici, da provare! La libreria di moda e design più bella e fornita di Roma, con tantissimi oggetti da regalo davvero unici, è lì vicino, al n. 15 di via Chiana e si chiama **È Stile**. Sembra di stare a New York: tutti quelli che amano la moda ci

devono andare! Spostandoti verso il Tevere arrivi all'Auditorium di Renzo Piano, una fantastica struttura nella quale fare un'esperienza di musica. Per cenare prima o dopo il concerto vai **Al caminetto**, in viale Parioli 89, sempre pienissimo e sempre buonissimo! Per una pizza volante è perfetto **Crilè**, in via Pilsudski 44.

LA VITA DOLCE: *carpe diem*, si dice da queste parti, e allora goditi un'esperienza unica per il palato. Il "millefoglie" regale della capitale, che viene spedito addirittura alla regina Elisabetta, è alla **Pasticceria Cavalletti** in via Nemorense 179. Il tiramisù più incredibile che tu possa mai mangiare (lo amava Marcello Mastroianni) e disponibile anche nella versione senza glutine è da **Pompi** nelle due sedi: via Albalonga 7 (zona San Giovanni) e via Cassia 8 (Ponte Milvio). Altra tappa da non mancare assolutamente è **SAID** in via Tiburtina 135 (zona San Lorenzo), una vera fabbrica di cioccolato ancora attiva, dove fermarsi anche per mangiare. Atmosfera fantastica, piatti super!

ALTRE ZONE SHOPPING: Eur, con la **White Gallery**, il primo grande lifestyle store di Roma situato negli spazi del Palazzo dell'Arte Moderna in piazza Marconi. Centri commerciali: Porta di Roma (con **Ikea**), Roma Est (anche con **Apple Store**) e Da Vinci (accanto all'aeroporto di Fiumicino, c'è di tutto tra cui il negozio pieno di super prodotti di bellezza a prezzi ottimi, **Kepro**).

VERDE E SPORT: il polmone della capitale è **Villa Borghese**, dove fare jogging, giocare con i bambini, scatenarsi con i quattrozampe, affittare biciclette o bighe elettriche. Incontri sempre qualche VIP! Per nuotare si va all'**Aquaniene**, centro polifunzionale in via della Moschea 130. Se vuoi fare una pausa sportiva e concederti 9 buche vai al **Golf Marco Simone**, a mezz'ora dal centro (www.golfmarcosimone.com): l'abbigliamento da golf con i migliori marchi tecnici e un'accurata ricerca nei prodotti casual si trova da **Lucchese**, in via del Babuino 162.

NON BASTA UNA VITA! Ma almeno una volta devi vedere: basilica di San Pietro, Colosseo, Foro Romano, Domus Aurea, Bocca della verità, piazza del Campidoglio, Pantheon, Ara Pacis, piazza Navona, giardini del Quirinale. Musei e Gallerie: Galleria Borghese, Musei Vaticani e Cappella Sistina, Scuderie del Quirinale, Palazzo delle Esposizioni, Galleria Nazionale d'Arte Moderna, Museo di Villa Giulia e i due più all'avanguardia, MAXXI e Macro.

MERCATINI: quello storico al quale ha dedicato una canzone Claudio Baglioni è **Porta Portese**, tutte le domeniche dall'alba. Le "mete segrete" in cui colpiamo mia madre e io quasi tutti i sabati e le domeniche sono il mercatino della **Dear**, in via Cortuso all'angolo con via Nomentana, e il mercatino **Conca d'oro** in via Conca d'oro 113, all'angolo con via delle Valli. Sono entrambi in zona Monte

Sacro: se sei fortunata e hai occhio puoi trovare anche un bel pezzo di antiquariato, e poi collezionismo, modernariato, artigianato, vestiti, gioielli e molto altro. I mercatini itineranti che mi piacciono, in cui scovare, come nei precedenti, le cose più disparate, dai mobili ai gioielli, dai vestiti ai giocattoli, sono: **Ponte Milvio** (quello dei lucchetti di Federico Moccia!) ogni prima domenica del mese; anticaglie a **Villa Glori**, in via Maresciallo Pilsudski; e il mercatino in **piazza delle Belle Arti** ogni seconda domenica; **La Soffitta sotto i portici**, in piazza Augusto Imperatore ogni terza domenica; antiquariato in **piazza Verdi** ogni quarta domenica, con oltre 200 espositori. Per la moda vintage si va tutte le domeniche a **Borghetto Flaminio**, in piazzale della Marina 32. A un passo dal Colosseo, in uno dei quartieri storici e più belli della capitale, in via Leonina, il **Mercatino di Monti** è sempre affollatissimo di tante idee giovani e originali. Quasi tutti sono chiusi a luglio e agosto: controlla su internet per evitare sorprese!

New York

Ogni volta che arrivo a New York sono talmente eccitata che butto in camera i due bauli che immancabilmente porto con me, indosso un paio di scarpe senza tacco e parto per la mia maratona trascinando dappertutto chi ha avuto la bella idea di accompagnarmi, di solito la mia amica Cri. L'aver guadagnato con il **fuso orario** quelle 6 ore di tempo che sempre mi mancano per concludere la mia giornata, e poter fare tutto quello che desidero, mi manda al settimo (gratta)cielo! E via per la celeberrima **"Quinta Strada"**, il più delle volte senza una meta precisa: tutto è bello, tutto è affascinante, tutto è interessante, tutto mi sembra economico (mi convinco sempre che il dollaro è favorevole e questa teoria è l'inizio della fine!).
"New York è la città che non dorme mai", canta Liza Minnelli, e un po' come avviene nei cartoni Pokémon, quando pensi di essere morta con le vesciche ai piedi, lo sguardo vitreo e i dolori dappertutto, beh, a quel punto una vocina ti chiama e riparti. Vale anche per i "boys": all'inizio magari rognano, ma poi si lasciano sedurre dal fascino magnetico di Manhattan.

→ Tappe obbligatorie

PER ORIENTARTI: le Avenues sono verticali, quindi sono quelle lunghe parallele alla "Fifth", tagliate orizzontalmente da infinite Streets. Central Park divide Manhattan in West ed East. La Quinta è East, la Quarta non esiste (questa cosa stressa parecchio soprattutto i maschi, noi femmine usiamo come bussola i negozi). Tra la Quinta e la Terza, in ordine, ci sono Madison, MAD per gli amici (negozi chic), Park Avenue, a doppio senso e soprattutto residenziale, e poi Lexington, piena di negozietti divertenti, saloni per la bellezza delle unghie e il mitico **Bloomingdale's.**

CENTRAL PARK: con il fuso il sonno ne risente, perciò una bella passeggiata (o una corsetta) nelle prime ore del mattino non costa troppa fatica. Oltre alla vastità e alla bellezza di questo parco, non si può non essere colpiti dai tanti dog sitter con 6-7 cani al guinzaglio (peraltro sono sempre bellissimi, sembrano dei modelli!). In autunno i colori sono imperdibili (c'è pure il film, triste ma bello, con Richard Gere, *Autumn in New York*, e addirittura le sfumature delle foglie che cambiano sono oggetto di articoli sui giornali: tutti i giorni i newyorkesi vogliono sapere come e quanto stanno ingiallendo i loro alberi)... in primavera anche, d'estate è stupendo e a Natale, se c'è la neve, ti si scioglie il cuore. Insomma, ogni stagione è perfetta!

MUSEI: al Metropolitan (ho visitato la sezione egizia almeno 20 volte e mi emoziona sempre) è imperdibile la parte dedicata al Costume, una delle più prestigiose al mondo, dal 1971 agli anni Ottanta curata da Diana Vreeland. Al Guggenheim e al MOMA c'è sempre una mostra fantastica. The Museum at FIT-Fashion Institute of Technology è davvero splendido.

GRANDI MAGAZZINI: Bloomingdale's, Saks Fifth Avenue e **Macy's**, anche solo per guardare le decorazioni in vetrina. Quelli più chic sono **Barney's** e **Bergdorf Goodman.** Spesso con sorpresa trovo anche merce in saldo di marchi internazionali. Ne approfitto per "incipriarmi il naso": la pulizia dei bagni è garantita. Qui si chiamano *restrooms* o *ladies' rooms, men's rooms* per lui (puoi usare anche la parola *toilet*, ma è meno elegante). Ci sono addirittura apposite miniguide che indicano quelli più raffinati! I camerini invece sono i *fitting rooms.* Non ti confondere...

I GRANDI CLASSICI SULLA QUINTA: Tiffany, Apple, Fao Schwartz (giocattoli pazzeschi!), **Bendel** (tempio chic per oggetti, accessori, make up e regali), **Abercrombie & Fitch** (ora c'è anche in Italia, ma i modelli sexy che ti accolgono sulla porta, la musica "a palla" e il profumo che ti stordisce valgono la pena di una visita, oltre ai prezzi che sono più convenienti), **Gap**.

GLI ALTRI IMPERDIBILI: Victoria's Secret (fatti prendere le misure per trovare il "tuo" reggiseno), il **negozio di design del MOMA, ABC** (5 piani da svenire per la casa...), **PETCO** (migliaia di metri quadri per i nostri amati quattro zampe), **Barnes & Nobles** (libri e musica), **Shanghai Tang** (brand cinese raffinato che spopola negli usa), **Stuart Weitzman** (le scarpe che danno una dipendenza grave...), **NikeTown**, **Ralph Lauren** e **Brooks Brothers** (così fai contento anche lui!), **Paragon** (abbigliamento e attrezzature sportive).

LO SHOPPING ALTERNATIVO:
si va Downtown, al Village e a SOHO, e a Brooklyn (Williamsburg in Bedford Avenue). Qui trovi marchi internazionali e catene, ma anche tante gallerie, collezioni d'avanguardia e vintage. Entra da Luxor Tavella, inventrice di **Paracelso** (414 West Broadway tra Spring Street e Prince Street), un luogo che definire atelier o negozio è riduttivo. Puoi incontrarci molte celebrità, tra cui Claudia Schiffer. Dedica un po' di tempo a queste due strade, Elizabeth Street e Mott Street. Vai anche al **Meat Packing District**, per le gallerie e i designer, e passeggia per **High Line**, il parco sopraelevato, a 10 m d'altezza, realizzato sui binari di una linea ferroviaria dismessa.

DA SAPERE: la maggior parte dei prodotti in vendita non include le tasse, che sono l'8,25%, percentuale che verrà applicata al momento del pagamento. Tienine conto prima di andare alla cassa! Vale anche per il cibo e i ristoranti. Altra nota dolente: le mance. Raramente sono comprese ma vanno date, altrimenti verrai inseguita fuori dal ristorante e, nella migliore delle ipotesi, ti manderanno a quel paese. Sono il doppio delle tasse, quindi circa il 16%. Anche i tassisti si aspettano almeno un 10% in più sul prezzo della corsa.

SNACKS: a NY non si mangia mai veramente, ma si mastica tutto il giorno! Sono una salutista ma quando sbarco nella Grande Mela mi scatta una voglia di schifezze che si placa solo con decine di caloricissimi biscotti al cioccolato, i Choc Choc Chip, qualche

☺
porta una sacca
vuota per
gli acquisti...

☹
non dire mai
che vai a NY:
la lista di richieste
sarà interminabile!

hot dog, e almeno un paio di Pretzel, quelle ciambelle di pane intrecciato ricoperte di sale che vendono agli incroci. Per recuperare un po' di educazione alimentare, e gustarmi un prosciutto divino, vado alla **Salumeria Rosi** (283 Amsterdam Ave., all'angolo con la 73ª), dove lo chef Cesare Casella prepara mini porzioni di lasagne, risotti, salumi e molto altro, da gustare e condividere. Per uno spuntino ti puoi fermare nei vari chioschi sparsi nella città. I panini più buoni sono da **Mangia**, sulla 57ª Strada, tra la Quinta e la Sesta. Le celebrità come Sarah Jessica Parker vanno a Nolita da **Balthazar** (80 Spring Street) o al **Café Gitane** in Mott Street, all'angolo con Prince Street (vi capita spesso Leonardo Di Caprio).

RISTORANTI: quelli belli e buoni sono molti (e cari) e ogni italiano al quale dirai che vai a New York ti costringerà a provare i suoi preferiti. Siamo fatti così: te ne indico tre, poi decidi tu!

Le Cirque (151 East 58th Street all'angolo con Lexington), dell'italianissimo Sirio Maccioni. Mi ricorda serate indimenticabili con la mia famiglia, è un posto speciale per un'occasione unica. **Smith & Wollensky** (49th Street & Third Ave.) per una bistecca da cannibale, più grande di quella dei Flinstones. E un po' di cinese, che ci sta sempre bene: da **Philippe** (33 East 60th Street all'angolo con Madison) star, modelle e turisti si mescolano senza distinzione.

MERCATINI: qui si chiamano Flea Markets e io dedico sempre una giornata del weekend a scovare cose buffe o speciali. I miei preferiti sono l'**Annex Antique Fair & Flea Market** (sabato e domenica), sulla Sixth Ave. all'angolo con la 26ª, e il **Green Flea Market** (domenica) a Columbus Ave., tra la 76ª e la 77ª. A Brooklyn, anche con molti pezzi di giovani designer, c'è l'**Artists & Flea Market** (www.artistsandfleas.com).

Eravamo insieme.
Tutto il resto del mondo
l'ho scordato.
Walt Whitman
(un viaggio a NY ti lascia sempre stordita...)

Parigi

Parigi è l'icona mondiale del gusto dove tutto è sempre **très chic**. Fare shopping trasmette emozioni particolari e un fine settimana romantico nella "Ville Lumière" è il sogno di tutte noi, grandi e piccine. E quale bambina non prometterebbe anni senza **capricci** per essere portata a conoscere le Principesse a Eurodisney? C'è sempre un'atmosfera elettrizzante, come nel film *Il Diavolo veste Prada* (vi ricordate quando Meryl Streep/ Miranda e la sua assistente Anne Hathaway/ Andrea incontrano Valentino?).

→ Boutique e non solo all'ombra della Tour Eiffel

GRANDI MAGAZZINI: Galeries Lafayette, cuore pulsante dello shopping. Si può sempre fingere di esserci capitate per ammirare la meravigliosa cupola di vetro e acciaio. Otto piani da godersi in libertà! Il **Bon Marché** è il primo grande magazzino della città, fondato nel 1852 e progettato in parte da Gustave Eiffel.

TUILERIES ovvero giardini + museo + shopping, il tutto mixato mirabilmente! È la mia prima indiscussa tappa. I giardini sono sublimi, si vede anche la Tour Eiffel (che va comunque vista da vicino, il picco romantico è la notte!). Il Louvre è il più grande museo del mondo e un saluto alla "nostra" *Gioconda*, tra i capolavori di Leonardo, va dato. Da qui spalanca occhi e palato andando in rue de Rivoli e fermati da **Angelina**, la sala da tè più famosa. Viziati con un meraviglioso Mont Blanc e una cioccolata calda. Da lì trovi una serie di boutique elegantissime, potrai fare un salto in place Vendôme, un concentrato di alta gioielleria che fa girare la testa, e proseguire in rue Saint-Honoré (sosta obbligatoria il concept store **Colette**). Se ti piace il rétro devi andare in rue du Roi de Sicile (parallela di rue de Rivoli), da **Mamz'Elle Swing**.

MARAIS, ovvero la zona trendy: qui trovi atelier di stilisti emergenti e d'avanguardia, ma soprattutto place des Vosges, uno degli angoli più poetici della città. Le vie più modaiole sono rue des Francs Bourgeois, che parte dal Centre Pompidou, e rue Vieille du Temple. Merita una visita **Les Néréides**, per bijoux davvero divertenti, in rue du Bourg-l'Abbé (ma li trovi anche alle Galeries Lafayette). In boulevard Beaumarchais 111, in un'ex fabbrica di tessuti c'è **Merci**, un concept store molto innovativo con una Fiat 500 rossa stracarica di pacchi nel cortile come biglietto da visita. Si trova di tutto, dal design all'edizione limitata fino ai libri di seconda mano, e si può anche mangiare. La cosa bella è che il ricavato va per aiutare i bambini del Madagascar e altre cause benefiche.

CHAMPS-ELYSÉES: ovvero la grande storia e le grandi boutique. Si comincia dall'Arco di Trionfo (il giorno più bello per venire è il 2 dicembre, anniversario della vittoria napoleonica ad Austerlitz: l'inclinazione dei raggi al tramonto crea un'atmosfera favolosa) e si prosegue in questo viale noto e amato in tutto il mondo. La carta di credito non ha scampo: da un lato si va in rue du Faubourg Saint-Honoré, al numero 24, dove rischi la tachicardia davanti a una Kelly di **Hermès** o provando un paio di décolleté con la suola rossa di **Christian Louboutin**, al numero

68. Dalla parte opposta si finisce dalla padella alla brace: in avenue Montaigne, da **Dior** a **Chanel** c'è il picco glicemico del lusso. Una vera istigazione al rosso in banca (non solo sotto le scarpe!).

SHOPPING DI GUSTO: place de la Madeleine è il paradiso dei golosi, qui ci sono le migliori gastronomie parigine come **Fauchon** e **Hédiard**, mentre da **Kaspia** si trova il caviale doc. Per gli appassionati, da provare **Mariage Frères-Maison de Thé**, con vari indirizzi in città: uno dei più belli è al 260 di rue du Faubourg Saint-Honoré. Per una pausa dolce entra nella meravigliosa boutique di **Ladurée**, al 16 di rue Royale, la celebre sala da tè fondata nel 1862: il cavallo di battaglia sono i "macarons" (meringhe colorate montate che formano un sandwich. Pensa che il nome deriva dagli italianissimi maccheroni!). Se non hai fatto in tempo a comprarli, puoi ordinarli sul sito (che fa venire l'acquolina al primo clic... www.laduree.fr).

MERCATINI MON AMOUR: le "pulci" sono il grande classico (www.marchesauxpuces.fr). Tutto il mondo della moda va al mercato di **Porte de Clignancourt**, dove puoi scovare qualunque cosa: gioielli, pizzi e ricami anni Trenta, borse originali vintage, mobili e molto di più. Se ti restano le forze non lasciarti sfuggire quello a **Porte de Venves**: aperto sabato e domenica, ci arrivi direttamente con la metropolitana. Ci sono oggetti di ogni tipo a prezzi molto interessanti.

DA NON PERDERE: Musée des Arts Décoratifs, Musée d'Orsay e Centre Georges Pompidou.

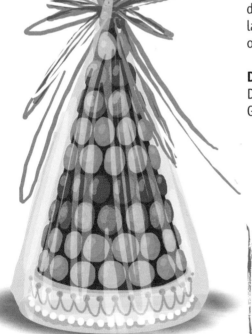

Per farsi capire dalle persone bisogna parlare prima di tutto ai loro occhi.
Napoleone Bonaparte
(Parigi incanta lo sguardo e il cuore...)

 # Londra

Adoro Notting Hill, sia il quartiere sia il film! E la regina Elisabetta (ok, si era capito, la nomino più del tubino...). L'ho conosciuta a un pranzo ufficiale a Roma. Mi ha ipnotizzata con il suo carisma: invece di farle l'inchino ho fatto la gobba, coprendomi il volto con la massa dei miei capelli, e a quel punto lei mi ha teso simpaticamente la mano (di solito la regina non va mai toccata!). Sono pazza di **Hugh Grant** (mia madre ha cenato con lui una volta e mi ha fatto fare l'autografo; c'è scritto: "Lavinia, I think I love you", penso di amarti. Io invece non ho dubbi: ti adoro!). Insomma, Londra è sì shopping ma soprattutto **energia**, stratificazione di storia e modernità, anticonformismo e tradizione. È una città da single o da amiche, non necessariamente da coppia (se hai appena rotto la tua storia d'amore buttati a Marylebone e passa tutto, se invece vai a Parigi meglio farti una bella scorta di kleenex). Prima di partire controlla su internet se c'è qualche fiera speciale, ma spesso ci sono divertenti mercatini a tema.

H&H OVVERO HYDE PARK E HARROD'S. Comincio sempre dai giardini. Forse perché vivo in campagna, ma ricaricarmi nel verde prima di dare l'assalto alle vetrine è un'ottima tattica! Hyde Park (affascinante polmone verde con angoli inaspettati, come lo Speaker's Corner, con podio per gli oratori, a volte davvero bizzarri) si estende fino ai Kensington Gardens, la zona frequentata da Lady Diana. Risiedeva infatti a Kensington Palace, oggi parzialmente visitabile. La punta di diamante di quest'area sono i grandi magazzini **Harrod's** (fai un giro anche nel fantastico reparto gastronomico),

seguito a ruota da **Harvey Nichols**. A poca distanza c'è il quartiere Notting Hill con la famosa **Portobello Road**, celebre per il mercato dell'usato, meno brillante di un tempo ma sempre piacevole. Una volta (ero con mia madre) un tassista poco british e molto romano di nome Francis ci ha portato, di sua iniziativa, a vedere tutti i singoli luoghi in cui, a suo dire, era stato girato il film. Secondo noi la metà erano fasulli, ma nel frattempo il tassametro saliva...

M COME MODA (TUTTA!): Marylebone e Mayfair. Questo è un giro ad alto tasso di stile (il percorso è lungo e pieno di insidie per il portafoglio) e va da Oxford Street e Regent Street fino a Piccadilly Circus. Cominci dalla zona di Marylebone, la più eccitante per le ragazze, e finisci a Soho (anche qui il cuore non smette di andare all'impazzata...). Ci sono tutti i negozi che vuoi, tra cui i grandi magazzini **Selfridges** al n. 400 di Oxford Street, per un resumé di tutte le collezioni, e **John Lewis**, poco distante. A Oxford

Solo lo straordinario sopravvive.
Oscar Wilde
(a Londra vivi ieri, oggi e domani nello stesso istante)

Circus c'è **Top Shop**, il vero delirio degli ultimi anni, con le collezioni di Kate Moss e non solo. Tutte le modaiole indossano almeno un pezzo di Top Shop al giorno (sembra quasi una prescrizione medica...). Vai al piano -2 per le cose migliori. Scendi al n. 210 di Regent Street per **Liberty** (guarda la lingerie). In pochi minuti sei a Carnaby Street: non c'è più l'atmosfera elettrizzante degli anni Sessanta, quando moda e musica si fondevano dando vita a novità e trasgressione, ma è pur sempre un pellegrinaggio che devi fare, lanciando un pensiero a Mary Quant, che inventando la minigonna ha rivoluzionato la moda! Al n. 10, da **Merc**, trovi abiti e tessuti originali del periodo d'oro. Arrivi così allo psichedelico Piccadilly Circus. Poi prosegui in Jermyn Street: al n. 89 c'è **Floris Shop**, dove trovi i profumi che usa anche la regina. Da vedere New Bond Street e Old Bond Street, con sosta da **Asprey** (165 New Bond Street), che serve anche la Famiglia Reale, con gioielli e articoli da regalo.

COVENT GARDEN: non servono parole! La bellissima costruzione vittoriana ospita negozi e gallerie. Verrai coinvolta da artisti di strada e circondata da musica di vari generi. Vai alla vicina Floral Street per vedere un classico inglese: il negozio di **Paul Smith**, insieme ad altri empori molto "in", mentre **Shorts Gardens** è l'area più giovane con moltissimi marchi. Arriva fino a **Penhaligon's** (41 Wellington Street), una delle profumerie più antiche ed eleganti, perfetta per i regali.

TENDENZA TÈ (CIBO E NON SOLO!): **Fortnum & Mason** vicino a Piccadilly Circus per le marmellate e i fantastici biscotti al burro. Per il tè più glamour del mondo fermati alla Caramel Room del **Berkeley Hotel**, in Wilton Place: si chiama "Prêt-à-Portea" ed è un'esperienza da fare con i pasticcini a forma degli ultimi modelli delle passerelle!

MERCATINI E FIERE: la domenica si passa a Spitafield Market e negli altri mercatini di Bricklane (soprattutto il Sunday Up Market) dell'East End. Il miglior usato e il punk più incredibile è a Cadmen Town, verso nord. Mercati affollatissimi sia il sabato sia la domenica, ma dopo non sarai più la stessa (se il tuo lui è un tipo classico non te lo portare dietro o lo scioccherai per sempre). Controlla se c'è una di queste fiere stagionali: **Vintage Fair** (www.vintagefair.co.uk), **Country Living Fair**, concentrato di designer da tutta l'Inghilterra (www.countrylivingfair.com) e **Affordable Art Fair** (www.affordableartfair.com).

GALLERIE D'ARTE E MUSEI: a Londra non finiscono mai! Da vedere (e rivedere) British Museum, Tate Modern, Tate Britain e Victoria and Albert Museum. Un salto da Sotheby's e Christie's per curiosare nelle aste più importanti del momento: una vera chicca.

6.

Tre segreti di felicità:
mangia sano, balla,
fatti bella

La felicità è un sogno? Impariamo a considerarlo un traguardo molto più accessibile di quanto si creda. È l'arte di amare le piccole cose, di cogliere l'attimo e di accettare i difetti trasformandoli in punti di forza. Gioca sempre il jolly dell'autoironia, perché prendersela troppo fa venire le rughe e alza il colesterolo. La condivisione è l'elisir della serenità: mai tenere per sé le cose belle così come quelle brutte. E, ogni volta che puoi, datti da fare per aiutare gli altri: fa bene prima di tutto a te. La bellezza vera è il risultato di un atteggiamento positivo nei confronti della vita. Ma soprattutto è un atto d'amore verso noi stesse. Coltiva un hobby o una passione. Qualsiasi. Il sogno che avevi nel cassetto al liceo, un'ambizione ricacciata dentro o, semplicemente, una curiosità come studiare il cinese oppure fare un corso di sushi acrobatico (esisterà? Forse sì!). Sei sicura di volerti abbastanza bene? Se pensi che potresti fare di più... allora mettiti in gioco!

I "vantaggi" di essere donna

Lo so, a volte è duro, ma pensa che poteva andarti anche molto peggio... avresti potuto nascere uomo! Scherzi a parte (l'altra metà della mela dà un senso alla nostra vita, anche quando ci lamentiamo...), **essere donna è il massimo**! Ecco, per esempio, che cosa puoi fare.

Puoi truccarti: un espediente fondamentale quando sei verde con le occhiaie, ma utile sempre!

Puoi mettere le extensions se vuoi una chioma più folta; i maschietti si devono rassegnare al saggio motto: «L'unica cosa che può arrestare la caduta dei capelli è il pavimento»...

Puoi diventare più alta con i tacchi e in un secondo acquistare 12 cm. Ma se cambi idea, torni a terra con un paio di ballerine.

Puoi dimagrire all'istante e perdere fino a due taglie con una guêpière mozzafiato o con le calze che strizzano (metti sempre una bombola d'ossigeno nel cofano dell'auto...).

Puoi sembrare una pin-up e mostrare fino a due belle misure in più di seno con un push-up superimbottito!

Puoi mostrare le gambe quando vuoi, mentre lui può farlo solo in tre casi: quando gioca a calcetto, al mare o se a Carnevale si veste da scozzese...

Non ti devi fare la barba: ok, c'è la ceretta... uno pari!

E, soprattutto, hai infinite possibilità di divertirti con il tuo guardaroba.

Mangia sano

La moda deve avere **"il giusto peso"** nella tua vita. Non esiste la taglia ideale, ma di certo non è la 40, e neanche la 54. Sono due eccessi che vanno evitati, anzi combattuti, soprattutto a tavola. Confesso di non aver mai superato il terzo giorno di dieta in vita mia, ho imparato con il tempo a **mangiare con la testa,** ma uno sgarro ogni tanto ci sta! Molti pensano che nella moda si faccia la fame, ma posso garantire che non è così. Nel backstage di sfilate e campagne pubblicitarie si sgranocchia in continuazione e ci sono grandi buffet allestiti con ogni ben di Dio, per avere tutta l'**energia fisica, mentale e creativa** di cui abbiamo bisogno.

5 consigli per stare bene, non solo a tavola

Una buona dieta è quasi sempre il primo passo verso sane abitudini di vita: alimentarsi bene dà energia, aiuta a mantenersi fisicamente attivi e a riposare bene. È ciò che sostiene il professor Raffaele Landolfi: ti propongo dunque i suoi consigli che per me sono fondamentali.

• Bisogna conoscere, anche approssimativamente, il valore calorico e nutritivo dei principali alimenti.

• Si deve controllare l'andamento del proprio peso: aiuta a prevenire e limitare gli eventuali squilibri della nostra dieta.

• Ogni buona modifica delle abitudini alimentari produce effetti salutari solo se mantenuta nel tempo: i sacrifici dietetici eccessivi generalmente non durano.

• Le sensazioni di fame e sazietà sono un'ottima guida per regolare l'assunzione di alimenti: la dieta ottimale è quella che non ci fa mai avvertire troppa fame e ci fa sentire abbastanza leggeri dopo i pasti.

• Frazionare i pasti e masticare lentamente ci aiuta a mangiare meno, a gustare il cibo e a digerire facilmente.

Balla

Ho capito come ha fatto il **brutto anatroccolo** a diventare il **bellissimo cigno** bianco. Fate e stregonerie non c'entrano: sicuramente si è messo a ballare! Parlo per esperienza diretta, devi proprio fidarti di me: ho iniziato per caso a trent'anni a prendere lezioni di ballo. Ho avuto la fortuna di incontrare un maestro fantastico, Fabrizio Graziani, un bravissimo coreografo ma soprattutto una persona speciale: mi ha cambiato la vita. Non sono certo diventata un'étoile, anzi, ma ho guadagnato in benessere fisico e mentale. Molto più di quanto potessi mai sperare! Ho poco tempo (come tutte) e pochissime doti di partenza (sono scoordinata, stonata come una campana e con poca pratica alle spalle, al massimo mi ero cimentata nel "ballo del qua qua"...). Ma ho scoperto gli **effetti magici della danza** e mi sono innamorata (del ballo: il fidanzato è sempre quello e non balla, purtroppo. Eppure se gli uomini sapessero quanto è sexy ballare, e quanto "acchiappi" se sei single...). Si può danzare a ogni età, da sole, con le amiche, con il partner, con i figli, i colleghi, la vicina... Basta un ritmo e un movimento di bacino per proiettarti in pochi secondi in una realtà parallela anche se sei a Milano e c'è il "nebiùn": appena inizi la tua **lezione di tango** ti ritroverai magicamente in una notte stellata a Buenos Aires...

→ Ballare...

...fa vincere le insicurezze. Nessuna vergogna, corpo e spirito si liberano. Che t'importa se le prime volte non vai a tempo! Ascolta con il cuore e imparerai a sentire tutte le note come un vero musicista!

...migliora la postura. In tutte le situazioni, e soprattutto se indossi un abito da sera e i tacchi, cerca di tenere sempre le spalle basse, l'addome contratto (il "centro" del corpo tirato è la chiave di tutto) e la testa alta. Questo è il "mantra" che mi ripete Giordano Pizzardi, ballerino professionista e caro amico con cui mi cimento in faticosi ed efficaci esercizi alla sbarra. Un atteggiamento fiero ti aiuterà a combattere il dolore alla cervicale e ad affrontare la vita con più coraggio e determinazione.

...affina la gestione del corpo. "Ciao ciao" lividi che ti fanno diventare le gambe chiazzate come un dalmata. Impari a controllare istintivamente i movimenti, cammini meglio, e non vai più a sbattere in tutti gli spigoli di casa...

...valorizza le gambe. La parte bella da mostrare è la caviglia, come fanno le ballerine. Devi sempre tenere le "cosce strette": cammina incrociando leggermente i passi e siediti con le gambe incrociate o unite, non siamo dei cowboys...

Se proprio non vuoi ballare fai comunque un'attività sportiva che ti tenga in forma e scarichi la mente. Svegliati con 10 minuti di stretching, yoga o Pilates.

Vuoi vivere un'emozione indimenticabile?
Prova una volta una lezione con il personal dancer.
È un'idea del campione di ballo Simone Di Pasquale
(www.personaldancer.it)

# Fatti bella

La bellezza s'impara. Altrimenti i trucchi non si chiamerebbero così, giusto? L'ideale è farti truccare almeno un paio di volte da un professionista, per **scoprire in che modo valorizzare** i tuoi punti di forza e usare i prodotti adatti. Ne servono pochi ma buoni. Con i capelli è più facile: basta fare una piega nelle occasioni importanti e regolare il colore ogni due mesi, come mi consiglia Domenico Mitidieri. Io li faccio crescere perché con il peso perdono l'effetto ondulato, che li fa assomigliare ai riccioli crespi di una pecora bagnata... Ricorda che i **capelli lunghi** sono sinonimo di femminilità e seduzione, e sono molto più facili da "governare" di quanto tu possa pensare. In ogni caso punta su tagli gestibili anche da sola. Ecco alcuni beauty-segreti.

Bevi moltissimo. Acqua naturale, tè verde e tisane (io bevo 3 litri al giorno, il mio trucco è riempire sempre il bicchiere appena lo vuoto).

Idrata la pelle, le labbra e i capelli con prodotti molto nutrienti e satinanti (consumo tonnellate di burro cacao...).

Curati con il sonno! Riposare bene è fondamentale, altrimenti la mattina ci vuole il martello pneumatico per spianare le rughe.

Diventa amica del tuo dentista. Non è solo lo specialista di carie & Co., ma oggi più che mai un esperto di sorriso ed estetica dentale.

→ La ricetta base del trucco

Il fondotinta. Usa una spugna grossa per stenderlo con cura. Non andare di fretta, questo è il passaggio più importante (bastano 2 minuti). Sfuma bene il collo e tutti gli angoli (occhi, orecchie...). No all'effetto maschera, usa un tono affine alla tua pelle. Se non lo trovi mischia due colori come faccio io, spruzzandoli sul dorso della mano sinistra e poi imbevi la spugna e procedi.

La cipria e/o la terra. Vanno applicate con un pennello e mai con il piumino, per evitare l'effetto geisha.

Il blush (o fard). Regala un tocco di rosa alle guance e alle palpebre, soprattutto per il trucco di tutti i giorni, quando non metti l'ombretto.

Il mascara. Va messo in due passaggi, per enfatizzare l'effetto volume. Stendilo una prima volta partendo dalla radice, soffermati sulla lunghezza per lo spessore e termina sulla punta per la rifinitura. Dopo 10 minuti, dai un'altra passata.

La matita per gli occhi. Serve a dare profondità, quindi usala sempre. Non deve essere necessariamente il kajal delle indiane, che comunque sta benissimo alle more, ma puoi provare marrone, verde, turchese, persino il bianco, che ingrandisce l'occhio.

Gli ombretti e le sfumature. Qui devi essere brava! Trova i colori che fanno per te a prescindere da ciò che indossi. A volte basta anche "sporcare" la palpebra di nero o di marrone per creare un effetto intrigante senza necessariamente dipingerla come una tela. Sperimenta i toni metallici: danno un bellissimo riflesso di luce.

Le sopracciglia. Sono la cornice del quadro, i tuoi occhi! Falle sistemare da un'esperta e poi successivamente segui la linea da sola.

Il rossetto. Le labbra devono essere asciuttissime, tamponale con una salvietta. Fai il contorno con la matita e sfuma leggermente verso l'interno. Stendi il rossetto, se hai tempo usa un pennello. Tampona con la cipria. Passa il lucidalabbra. Sarai perfetta per molte ore!

Lo smalto. Divertiti con tonalità insolite o vai sul classico con il rosso. Per fare asciugare bene i colori scuri bastano 20 minuti. Io "alterno le mani" così non sono costretta a stare immobile e non rovino l'opera. Prima lo applico sulla mano sinistra, così ho la destra libera per fare altre cose. Dopo 20 minuti lo metto sulla destra, e con la sinistra ormai asciutta posso fare tutto!

Il mio guru dei capelli è Paolo di Pofi: il suo salone nel cuore di Roma è la meta preferita di un'infinità di attrici, tra cui Monica Bellucci. Questi sono alcuni consigli fai-da-te che gli ho rubato.

Troppo preparata = invecchiata. Sì alle pettinature e no alle acconciature! Bene lo chignon fai-da-te con qualche ciocca spettinata e sbarazzina che esce. La regola fondamentale è mantenere un senso di freschezza. No a complicate impalcature piene di lacca: far passare una mano nei capelli che si muovono è molto sexy, incollare il tuo accompagnatore che ti aiuta a infilare il cappotto è terribile...

Datti una mossa! Onde e ricci sono l'arma vincente per le serate speciali, e in generale per tutte le occasioni in cui vuoi sentirti bella e femminile.

Cerchietti, mollette & pettinini. Sono tre ottimi alleati per "domare" la chioma senza andare dal parrucchiere. Vai sicura sui modelli con gli strass, sostituiscono i gioielli e ti fanno brillare. Usa le mollette o i pettinini per liberare il viso dando un effetto di luce.

Coda per sempre! Prova la versione "ricoperta": prendi una ciocca sotto la coda che avrai fatto molto stretta, metti un po' di gel e avvolgila intorno all'elastico. Fissala con due forcine. È una soluzione chic e veloce che funziona dalla riunione di lavoro alla serata di gala.

Frangia antietà. Toglie 10 anni! Da provare una volta nella vita, meglio d'inverno perché d'estate si gonfia ed è più difficile da gestire.

Mai senza profumo!

Ecco come usarlo al meglio: spruzzalo dal basso verso l'alto; non sfregare mai i polsi altrimenti si spezzano le molecole di cui è composto e dura la metà, e quel che è peggio cambia la fragranza. Se vuoi farlo persistere a lungo mettilo dopo aver spalmato una crema idratante neutra, senza odore. Prova a vaporizzarlo alla base dei capelli: ti basterà muoverli nel corso della giornata e fungeranno da profumatore naturale.

⟶ Indice degli argomenti

⟶ Ringraziamenti

Senza queste persone, alle quali devo moltissimo, *Pronto e indossato* non esisterebbe.
Ringrazio mia madre Laura: a lei devo tutto. Per avermi insegnato la forza
delle piccole cose e la gioia di quelle grandi. Per avermi sempre corretta,
stimolata e incoraggiata, da quando ero bambina e scrivevo i temi con il gomito
che mi faceva male.
Grazie a nonna Delia, che mi ha trasmesso tanti doni belli tra cui il senso
dell'umorismo.
Grazie a papà, che sarà per sempre con me insieme al motto che mi ha lasciato:
IT CAN BE DONE, tutto si può fare.
Grazie a Franci che, con amore e pazienza, convive con il suo vulcano.
Grazie alla Mondadori Electa che inaspettatamente mi ha proposto questo progetto,
permettendomi di tirare fuori dal cassetto il sogno di scrivere. Ringrazio Alberto
Conforti e Stefano Peccatori. E poi tutta la squadra "rosa" (grazie all'unico maschio,
Dario, che ci ha sopportato): Enrica per aver avuto la folle idea, Valentina per averla
concretizzata, "Santa Caterina" e "Santa Lucia" per averla seguita con passione
e dedizione, Lidia, Anna, Chiara e tutti i collaboratori con i quali ho condiviso
questa indimenticabile avventura.
Super grazie a Francesca Galmozzi, che ormai è diventata una sorella (ci assomigliamo
pure!): con i suoi strepitosi e divertentissimi disegni ha dato vita ed energia
alle "ricette".
Grazie di cuore a Radio2, alle *Brave Ragazze* Michela Andreozzi e Federica Gentile,
e a tutto il team che segue ogni venerdì pomeriggio lo spazio "Pronto e indossato"
da cui nasce, come Eva dalla costola di Adamo, questo manuale. Quanto ci divertiamo
insieme!
Chilometri di grazie, pieni di commozione, alle "ragazze LB". Fede Caruso: ci ha
messo l'anima, questo libro è quasi più suo che mio. Vale Virgili: ci ha messo
la testa (anche se pensare confonde sempre le idee!). Isa: ci ha messo l'energia,
e ha attaccato a tutte la mania per le calze. Mau: mi ha illuminata su riciclo e viaggi,
e ora tocca a lei far "viaggiare" *Pronto e indossato* ai quattro angoli della Terra ;-)
Grazie a Viola, Cri, Barbi, Vane, Chiara, Manu e a tutto lo staff.
Grazie alle "persone di casa" con le quali condivido il quotidiano e che mi hanno
riempita di consigli e di incoraggiamenti: Serena, Piera, Maria, Luana, Mario,
Maurizio e i "magnifici 7"!
Grazie alle mie "fantastiche amiche" e agli amici maschi, tra cui il mitico Raffaele,
Attilio, Fabio, Massimiliano, Marco, Fabri e Jo.
"Bau-grazie" al fedelissimo segugio Guido, che ha trascorso notti e notti
sul tappetino a farmi compagnia mentre scrivevo, e alla maremmana Baby che,
bontà sua, non si è mangiata il manoscritto ma solo le bozze della copertina.
Grazie a Felicità, amico silenzioso che mi ha restituito il sorriso milioni di volte.
Grazie a tutte le donne che ho incontrato nella mia vita e che hanno lasciato tracce
indelebili, e ai miei insegnanti, che mi hanno instillato la voglia di conoscere sempre
che cosa c'è "dietro".
Grazie a te, nuova amica: ti auguro di trovare in *Pronto e indossato* un compagno
ironico e utile, come lo è diventato per me.

...Ma non finisce qui!
  Pronto e indossato è su Facebook e su Twitter con nuove ricette!